Русский язык для деловых людей

RUSSIAN

SVETLANA ALEKSANDROFF

Russian Information Services, Inc.
Montpelier, VT

First edition: May 1993

Published by:
Russian Information Services, Inc.
City Center
89 Main St., Suite 2
Montpelier, VT 05602 USA
ph. 802-223-4955, fax 802-223-6105

In cooperation with:
Russkaya Informatsionnaya Sluzhba
B. Kondratyevskiy per. 4
Moscow, Russia 125056
ph./fax 095-254-9275

Russian Information Services, Inc., Montpelier, VT USA

Library of Congress Catalog Card Number: 93-83112
ISBN: 1-880100-14-2

Содержание

Foreword

Business Russian is intended for persons with intermediate fluency in Russian. It may be used as a textbook either for independent study or classroom use. In either case, students who study and learn the material in this concise volume will come away with a very rich knowledge of business Russian as it is spoken today.

Business Russian is oriented to the practical. In fact, the book's guiding purpose is to give students not only a better knowledge of the language, but also a better understanding of Russia's emerging business culture.

Business Russian is divided into fourteen short topical lessons. New vocabulary and information is introduced in each through readings, dialogues and written and oral exercises. We have employed a unique glossing system, translating new words in readings and exercises in the outside margins of the book. This is intended to minimize distraction that might be caused by reference to the dictionary at the back of the book.

We are grateful to dozens of people who have been instrumental in helping assemble, review and correct this guide. Special thanks is due Robert Krattli, Bella Gubnitskaya, Stephanie Ratmeyer, Clare Kimmel and Nina Goryachyova.

Business Russian is published by Russian Information Services of Montpelier, Vermont. Other publications of Russian Information Services include: ***Russia Survival Guide: Business & Travel***, the defiunitive guide to business and independent travel in the new Russia, ***Where in Moscow*** and ***Where in St. Petersburg,*** directories and maps for the independent traveler, city street maps of Moscow and St. Petersburg, and ***Russian Travel Monthly***, the leading US travel monthly on Russia. Comments and corrections are encouraged. Please write to the address on the page opposite the table of contents.

Svetlana Aleksandroff
Author

Paul E. Richardson
Publisher

Деловая поездка

Урок 1

УСТНАЯ ПРАКТИКА

Деловая поездка в другую страну является важным этапом в установлении,° развитии или продолжении деловых контактов.

establishment

Важным подготовительным этапом может быть сбор информации через местные торговые палаты° и государственный департамент об уровне развития экономики той области, которую вы намерены° посетить.

chambers of commerce
planning on

Следует позаботиться° заранее о получении визы, убедиться, что все ваши партнёры и контакты будут на месте, и постараться организовать все встречи и наметить программу° зараннее.

take care of
set a program

Также следует позаботиться о бронировании° номера в гостинице и транспорте.

reservation

Если вы работаете над завершением° контракта или договора, подготовьте проект° и возьмите его с собой. Предпочтительнее° также перевести его на русский язык.

conclusion
plan, draft
preferably

Прилетев в пункт назначения,° вы пройдёте паспортный контроль,° получите багаж и затем проследуете к пункту таможенного контроля.° Вам понадобиться заполнить таможенную декларацию,° которая является очень важным документом и обычно печатается на нескольких языках.

destination
passport control
customs control
customs declaration

Разрешается беспрепятственный° ввоз и вывоз образцов,° если они сопровождаются° соответственной документацией и не подходят под статьи ограничений° к вывозу и ввозу. Компания, давшая вам образцы, должна написать письмо, адресованное таможне, подписанное и скреплённое печатью° организации.

unhindered
samples; accompany
limits
imprinted with the stamp

extra copy

Если вы собираетесь везти рукописи или печатные документы, оставьте лишнюю копию° дома на всякий случай.

КОММЕНТАРИИ

По-русски вместо:	*Можно сказать:*
В котором часу вы прилетели?	Во сколько вы прилетели?
Сколько человек в вашей делегации?	Каков состав вашей делегации?
Какие планы у вашей делегации?	Каковы планы вашей делегации?

Русские поговорки:

По одежке встречают, по уму провожают.
You are judged by your clothes when met, and by your mind when leaving.

Тише едешь–дальше будешь.
Even going slow you move further.

ДИАЛОГИ

Собеседник: Скажите, как вас зовут?
Джон: Меня зовут Джон Грин.
Собеседник: Откуда вы прибыли?
Джон: Я и мои коллеги прибыли из США.
Собеседник: Какова цель вашего визита?
Джон: Мы прилетели в Москву, чтобы установить° деловые контакты с Российскими торговыми и промышленными организациями.

establish

Собеседник: Сколько времени продолжался ваш полёт?
Джон: Мы летели около девяти часов.
Собеседник: Когда ваш самолёт прибыл в аэропорт Шереметьево?
Джон: Наш самолёт прибыл по расписанию,° в 8 часов 30 минут.

on schedule

Собеседник: Как вы себя чувствуете?

Джон: Прекрасно.
Собеседник: Желаем вам успехов.
Джон: Спасибо.

Собеседник: Скажите, пожалуйсте, где мне получить мой багаж?
Джон: Скорее всего информация появится на этой табличке,° но часто багаж из одного самолёта выпускают° на разных линиях. | board; release
Собеседник: А вы не подскажите, где получить бланки° таможенных деклараций? | form
Джон: Кажется на этом столе есть бланки на английском языке.
Собеседник: Спасибо вам за помощь.
Джон: Желаю удачи.

Таможенник: Если у вас нет вещей, подлежащих° таможенному обложению,° то проходите по зелёному коридору. Вы заполнили° декларацию? | subject to; taxation; fill out
Джон: Да, вот она.
Таможенник: Давайте, я поставлю° на ней печать,° и вы можете проходить. | place, impress; stamp
Джон: Спасибо.
Таможенник: А что в этой коробке?° | box
Джон: Это образцы° товаров моей фирмы. | samples
Таможенник: Всего хорошего. Проходите.

ЗАДАНИЯ

1. Прочитайте текст, вставляя подходящие по смыслу словосочетания, приведённые в скобках:

Прибытие Джона Грина в Москву.

Господин Грин, президент крупной американской фирмы, собирается посетить СНГ. Несколько лет назад его фирма открыла представительство° в Москве, в Центре Международной торговли на Краснопресненской набережной. Теперь он вылетает в Москву, чтобы вести переговоры° о ... . | representation; conduct negotiations

joint venture open an affiliate establish; spare parts supplied; equipment office space	*(создание совместного предприятия,° открытие филиала° в других городах страны, налаживание° производства запчастей° для поставляемой° формой оборудования,° аренда нового помещения° для офиса)*
exchanges; bankers; intend, plan	Во время каждого своего визита в ту страну, господин Грин устанавливает новые деловые контакты. Важную роль играют личные встречи с возможными деловыми партнёрами. Во время своего последнего визита господин Грин познакомился с представителями российских бирж° и банкирами.° Теперь он намеревается° посетить ...
commercial bank joint stock company foreign-economic	*(коммерческий банк,° малое предприятие, совместное предприятие, акционерное общество,° Министерство внешнеэкономических° связей России, международную выставку)*
	Кроме того, господин Грин надеется подписать несколько крупных контрактов о поставках ...
consumer goods; medical equipment construction materials	*(оборудования, товаров широкого потребления,° медицинской техники,° запчастей, компьютеров, стройматериалов°)*
full	Программа визита торговой делегации является очень насыщенной.° Предстоит много встреч с потенциальными партнёрами и клиентами, а также и поездки в другие города России, такие как ...
	(Санкт-Петербург, Суздаль, Калининград, Петрозаводск)
free economic zone (FEZ)	Большой интерес у членов делегации вызывают различные проекты в свободной экономической зоне° Янтарь, в Калининградской области. Компании, которые представляют члены делегации, собираются достигнуть соглашений по ...
joint financing project design environmental	*(совместное финансирование,° разработка проектов,° создание единого координационного центра, организация службы экологического° контроля)*

Большой интерес бизнесменов к этой области связан с ...

(выгодность° экономического положения, развитая транспортная инфраструктура,° коммерческий потенциал)

advantages
infrastructure

2. Вместо точек, вставьте подходящие по смыслу слова и словосочетания:

А. Торговая делегация фирмы ГТ Лтд будет вести ... о заключении контракта на поставку° машин. — contract for delivery

Б. ... представителей западной фирмы в Ст. Петербург оказался очень плодотворным.° — fruitful

В. Во время переговоров были ... ... вопросы технической документации° и поставок товара. — technical documents

(переговоры, визит, подробно° обсудить) — in detail

3. Ответьте на вопросы, используя приведённые ниже словосочетания:

А. Как господин Грин решил проблему транспорта во время своего пребывания° в Москве? — stay, residence
(to rent a car, to take a cab, to use a limousine service)

Б. Где остановился господин Грин?
(a hotel, an apartment that belongs to his company)

В. Каков распорядок дня° господина Грина? — schedule for the day
(breakfast in a hotel, business meetings during the day, theater in the evening)

Г. Каковы дальнейшие планы господина Грина?
(to check out of the hotel on Friday, to travel to Lithuania and Latvia, to visit a factory in Yaroslavl)

4. Закончите предложения, используя слова и словосочетания, приведённые в уроке:

А. Господин Грин и его коллеги прибыли в...
Б. Таможенник попросил всех...

В. После получения своего багажа, все направились...
Г. Господин Грин сказал, что в чемодане...
Д. После прохождения таможенного и паспортного контроля, делегация направилась...
Е. Джеймс Доуб, представитель фирмы ГТ Лтд. в Москве, приехал в аэропорт, чтобы...
Ж. По дороге из аэропорта в гостиницу члены делегации обсуждали...

5. Составьте 5 предложений с модальными словами нужно, надо (нужен был, нужен будет), используя приведённые ниже слова и словосочетания:

familiarize

деловая поездка, коммерческий директор, известная фирма, установить деловые контакты, ознакомиться,° знакомиться, договориться о чём-то, краткая справка, справиться, справляться, члены делегации, краткое знакомство, паспортный контроль

6. Прочитайте текст, напишите 5 вопросов к тексту:

chain

educational center

Господин Форт из Великобритании, владелец всемирно известной сети° магазинов женской одежды, собирается посетить Москву, чтобы ознакомиться с проектом строительства нового учебного комплекса.°

Стоимость проекта составляет 200 миллионов долларов, и финансировать его будут известные западные предприниматели. Не исключено, что британский миллионер станет одним из основных инвесторов проекта.

composition

approval

conditions of/for cooperation

Хотя детали проекта и состав° учредителей акционерного общества будут определены только после одобрения° западными специалистами условий сотрудничества,° основная идея—обучение школьников основам бизнеса по специальной методике.

7. Выполните задание.

А. Представьте, что вы президент фирмы, которому докладывают о результатах деловой поездки в СНГ. Какие вопросы вы могли бы задать после прослушивания доклада представителя своей фирмы?

Б. Представьте, что вы даёте интервью одной из ведущих° коммерческих газет своей страны. Что именно вы бы хотели подчеркнуть, чтобы привлечь° внимание к деятельности вашей фирмы?

leading

attract

В. Напишите краткое эссе о своей деловой поездке в страны СНГ, используя слова и словосочетания из этого урока.

Г. Приготовьте пересказ статьи из текущих газет о визите иностранной делегации в страны СНГ.

ВНЕКЛАССНАЯ РАБОТА

1. Выполните задания.

А. Придумайте название фирмы и вашу должность и заполните визовую анкету на следующей странице.

Б. Заполните таможенную декларацию, приведённую на следующих страницах.

2. Переведите диалог на русский язык.

Q. Mr. Green, what kind of company is GT Ltd.?
A. Our company is based in New York and is engaged in international trade of mining and farming equipment. Our annual sales volume is just under $24 million.
Q. How long have you been doing business in the former Soviet Union?
A. Our firm began doing business in Russia 15 years ago. We used to cooperate with a Dutch company, but have recently opened our own representational office.
Q. Do you encounter any problems?
A. Of course. Every business has its problems. But we like to think we are experienced in solving the kinds of problems we face while doing business in Russia.

Форма № 95

КОНСУЛЬСТВО (консульский отдел посольства) СССР в ____________
страна

Place for photograph

QUESTIONNAIRE

ВИЗОВАЯ АНКЕТА

ATTENTION! Please type, or print using ball-point pen. Incorrect information may cause denial of visa, denial of permission to cross the USSR border, or annulment of visa on the USSR territory.

ВНИМАНИЕ! Писать четко, обязательно шариковой ручкой или на машинке. Неправильные данные могут повлечь за собой отказ в визе, в пересечении границы СССР или аннулирование визы на территории СССР.

1	Nationality	Национальность
2	Present citizenship (if you had USSR citizenship when and why you lost it)	Гражданство (если Вы имели гражданство СССР, то когда и в связи с чем его утратили)
3	Surname (in capital letters)	Фамилия
4	First name, patronymic (names)	Имя, отчество (имена)
5	(If changed, your surname, name (names) and patronymic before the change)	(Если изменяли, то Ваша фамилия, имя и отчество (имена) до изменения)
6	Day, month, year of birth / 7. Sex	Дата рождения / Пол
8	Object of journey to the USSR	Цель поездки в СССР
9	USSR department, organizations proposed to be visited	В какое учреждение
10	Route of journey (points of destination)	Маршрут следования (в пункты)
11	Date of entry / 12. Date of departure	Дата начала действия визы / Дата окончания действия визы
13	Passport N°	14. Категория, вид и кратность визы
15	Index and name of the tourist group Индекс, наименование туристской группы	
16	Place of work or study, position its address, telephone number Место работы или учебы, должность, адрес, номер телефона	
17	Permanent address, telephone number Адрес постоянного местожительства, номер телефона	
18	Place of birth (if born in the USSR, when and where to emigrated) Место рождения (если Вы родились в СССР, то куда и когда эмигрировали)	
19	Number of previous trips to the USSR Сколько раз были в СССР	Date of the latest trip Дата Вашей последней поездки

	Surname Фамилия	First name, patronymic Имя, отчество (имена)	Date of birth Дата рождения	Permanent address Адрес местожительства
20. Children under 16 years travelling with you Дети до 16 лет, следующие с вами				
21. Relatives in the USSR Ваши родственники в СССР				

I declare that the data given in the Questionnaire are correct

Я заявляю, что все данные, указанные в анкете, являются правильными

Date / Дата ____________

Personal signature / Личная подпись ____________

1639

FOR OFFICIAL USE

A. Cleared on entry to (exit from) the Russia

No.	Description of objects	Quantity (in words)

broad

e of Bank

Keep for the duration of your stay in the Russia or abroad. Not renewable in case of loss.

Persons giving false information in the Customs Declaration or to Customs officers shall render themselves liable under laws of the Russia.

CUSTOMS DECLARATION

Full name

Citizenship

Arriving from

Country of destination

Purpose of visit(business, tourism, private, etc.)

My luggage (including hand luggage) submitted for Customs inspection consists of pieces.

With me and in my luggage I have:

I. Weapons of all descriptions and ammunition

II. Narcotics and appliances for the use thereof

III. Antiques and objects of art (painting, drawings, icons, sculptures, etc.)

IV. Russian rubles, Russian State Loan bonds, Russian lottery tickets

V. Currency other than Russian rubles (bank notes, exchequer bills, coins), payment vouchers (cheques, bills, letters of credit, etc.), securities (shares, bonds, etc.) in foreign currencies , precious metals (gold, silver, platinum, metals of platinum group) in any form or condition, crude and processed natural precious stones (diamonds, brilliants, rubies, emeralds, sapphires and pearls), jewerly and other articles made of precious metals and precious stones, andscrap thereof, as well as property papers:

Description	Amount/quantity in figures	in words	For official use

VI. Russian rubles, other currency, payment vouchers, valuables and any objects belonging to other persons

I am aware that, in addition to the objects listed in the Customs Declaration, I must submit for inspection: printed matter, manuscripts, films, sound recordings, postage stamps, graphics, etc. plants, fruits,seeds, live animals and birds, as well as raw foodstuffs of animal origin and slaughtered fowl.

I also declare that my luggage sent separately consists of ___________pieces.

Date Owner of luggage (signed)

Q. What happens, if, for example, some of the equipment that you sell breaks down?

A. We work with the customer to either fix the equipment with local parts, or we bring in spare parts from abroad. Much of our time is also spent preventing break-downs by providing on-site training of customers' workers.

3. Перескажите советы, данные Джоном Грину, молодому работнику фирмы, ведущей дела в странах СНГ.

А. Подавайте документы на получение визы заранее или воспользуйтесь° услугами специального агентства в Вашингтоне.

make use of, employ

Б. Убедитесь, что ваши контакты будут на месте во время вашего визита в страну.

В. Постарайтесь организовать все встречи заранее с помощью государственных агентств и частных компаний.

Д. Оставьте время для проведения дополнительных мероприятий,° которые могут возникнуть во время вашего визита.

measures, activities

Е. Постарайтесь позаботиться о транспорте и услугах переводчика заранее, если это необходимо.

Ж. Если вы намерены заключать контракты или договоры, подготовьте проекты заранее и переведите их на русский язык.

4. Ответьте на вопросы, используя стоящие ниже словосочетания.

Что такое виза?
(A sheet of paper, listing information about the bearer, including name, date of birth, passport number, duration of visit, purpose of visit, cities visiting.)

Какие бывают типы виз?
(Three types for non-diplomats: business visas, tourist visas, private individual visas.)

ДОПОЛНИТЕЛЬНЫЙ МАТЕРИАЛ

1. Новый вид услуг в посольстве России.

Путешественников,° решивших посетить Россию в последний момент, посольство Российской Федерации в Вашингтоне теперь обеспечивает° новыми видами услуг: оформление визы в день подачи° документов и в течение 24 часов с момента подачи документов.

Анкеты и прилагаемые материалы остаются те же самые, увеличивается лишь оплата подобного экспресс-сервиса. Плата за визу, выданную в день подачи документов, составляет $100, а плата за визу, выданную в течение 24 часов, составляет $60.

Посольство продолжает оформление виз в течение 10 дней ($20) и четырёх рабочих дней ($30).

Если вам кажется, что вы часто будете путешествовать в Россию по делам фирмы, вы можете обратиться в посольство за многократной° визой, которая выдаётся сроком на один и два года. Чтобы получить её, приглашающей вас организации надо сделать запрос° в Министерстве иностранных дел России (которое посылает запрос в посольство в Вашингтоне), так что обычно это занимает больше времени. Легче получить её, находясь в России в одной из командировок.°

travelers
provides
submission
multiple entry
request, application
business trips

2. Таможенные правила в России

Таможенные правила регулируются Государственным Таможенным Кодексом (ГТК РФ) и предписывают° любому лицу, достигшему° 16 лет и следующему через государственную границу, заполнить таможенную декларацию.

В таможенную декларацию вносится точное количество мест° багажа и ручной клади,° спрашивается о наличии таких предметов, как боеприпасы,° оружие, наркотики, антикварные° ценности, драгоценности,° валюта и т.д.

Таможенная декларация остаётся у заполнившего её лица и предъявляется при вывозе из страны.

Существует ряд товаров и предметов пользования, которые облагаются° таможенной пошлиной° при ввозе в Россию. Перечень°

applies to; attained
pieces; carry-on
explosive devices; antiques; jewelry
subject to
duty; list

подобных предметов и товаров находится в Таможенном тарифе, там же указывается размер пошлины. Российские организации-импортёры также платят пошлину на некоторые статьи импорта.

Таможенный тариф имеет две графы,° в которых указываются минимальные и максимальные ставки.° Минимальные ставки назначаются на товар, ввозимый из стран, предоставивших России статус наибольшего благоприятствования.°

columns
levels
most-favored

Максимальные ставки назначаются на товары, ввозимые из стран, не предоставляющих России таможенные льготы.°

preferential (rates)

Ставки таможенных пошлин начисляются° с общей суммы контракта. Так как имущество,° ввозимое в Россию и принадлежащее представительствам иностранных организаций, также облагается пошлиной по Таможенному тарифу, то при его ввозе пошлина начисляется на стоимость имущества плюс доставка.°

calculated
property
shipping (costs)

Сотрудники представительств иностранных фирм имеют право беспошлинного° ввоза автомашины для личного пользования,° при условии обязательного обратного вывоза её из страны. Представительства иностранных организаций имеют право ввоза двух автомобилей на том же условии.

duty free
personal use

Автомашину надо зарегистрировать в Московской таможне и при выезде из России оформить° её на вывоз.

register

3. Пошлины на экспорт товаров из России

По Указу° президента Российской Федерации, *О частичном изменении порядка обязательной° продажи части валютной выручки° и взимания° экспортных пошлин,* с 1 июля 1992 была отменена° обязательная продажа части валютной выручки в Республиканский валютный резерв, а также специальный коммерческий курс° рубля.

decree
required
currency earnings; collection
cancelled
exchange rate

В то же время было издано° постановление, что 50% валютные выручки предприятий, включая предприятия с участием иностранных инвестиций, подлежат обязательной продаже через уполномоченные° банки по рыночному курсу на внутреннем валютном рынке в течение 14 календарных дней со дня поступления° ва-

published
authorized
receipt

лютной выручки.

Также в Указе установлено, что отдельные виды товаров подлежат обложению° экспортными пошлинами при их вывозе с территории РФ. Взимание экспортной пошлины производится с предприятий независимо от форм собственности и места регистрации, включая предприятия с участием иностранных инвестиций.

Ставка экспортной пошлины увеличивается° на 50% по сравнению° с базовой° с 1 января 1993 при вывозе товара по бартерным° операциям.

Взимание экспортных пошлин производится в рублях и поступает в федеральный бюджет. По разрешению° Минфина РФ экспортёр может уплачивать пошлину в СКВ с взиманием с него платы в 0.01% суммы причитающихся° платежей на каждый день отсрочки.

Экспортная пошлина подлежит уплате до или в момент предъявления° товара к таможенному контролю.

assessment

increases
in comparison; base
barter

permission

due

presentation

Деловая корреспонденция

Урок 2

УСТНАЯ ПРАКТИКА

Деловая корреспонденция является одним из видов прямых деловых контактов и имеет свой стиль и свои грамматические и морфологические особенности. Стиль коммерческих документов является строго деловым, кратким, точным, последовательным° и ясным, без выражений преувеличенной° вежливости.° Обращением° пользуются как правило в том случае, если обращаются к официальному лицу.

logical
exagerrated; politeness; form of address

Стиль деловой корреспонденции отличается от стиля художественной литературы следующим образом:

- наличием многих специальных терминов;
- многие русские слова употребляются в другом значении, например: приход,° расход,° покрыть,° погасить° и т.д.;
- в результате долгой практики употребления образовались многие устойчивые словосочетания и идиомы;
- в деловой корреспонденции встречаются многочисленные сокращения и аббревиатуры, вызванные стремлением к экономичности.

receivables; payables
to cover the costs of; to pay off (a debt)

Схема делового письма

- Наименование и адрес отправителя° (обычно находится сверху на бланке° организации)
- Дата
- Имя, должность и полный адрес получателя
- Ссылка на° предыдущую корреспонденцию (касательно, относительно, ссылаясь на ...)
- Текст письма
- Формула вежливости
- Подпись, должность, наименование предприятия
- Приложения°

sender
letterhead
reference to
enclosures

КОММЕНТАРИИ

Дата в деловой корреспонденции на русском языке может быть написана следующим образом: 10 июля 1992 года или "10" июля 1992 года. Писать дату сокращённо (10.7.92 или 7.10.92) в деловой переписке не стоит, так как в разных странах очерёдность° написания месяца и числа не совпадает.

order

Слова *относительно,*° *касательно*° требуют родительного падежа, например:

in reference to; regarding

относительно нашего совместного проекта ...
касательно поставки оборудования ...
касательно вашего письма от 5 декабря 1992 года ...

ДИАЛОГИ

Джон Грин, прилетев в Москву, проводит собрание с работниками представительства ГТ, Лтд.

Джон: В течение моего пребывания в Москве, я намерен° найти деловых партнёров для нашего нового проекта. Есть у кого-либо какие-нибудь предложения?

intend

Ольга: Я предлагаю просмотреть текущую° корреспонденцию и выявить все полученные нами предложения.°

current

offers, proposals

Юрий: Кроме того, я назначил° встречи с руководителями ведущих предприятий интересующей нас области.

arranged

Джон: Это те, которых нам рекомендовала Торговая Палата Российской федерации?

Юрий: Да.

Джон: Я тоже отправил по факсу предложение о сотрудничестве двум фирмам, с которыми мы могли бы работать одновременно. Остаётся выяснить следующее: первое, есть ли у них опыт° в международной торговле и

experience

менеджменте? Второе, могут ли они предложить реальный план, то есть составить ТЭО.

Юрий: А что такое ТЭО?

Джон: ТЭО—это технико-экономическое обоснование.

Юрий: То есть "feasibility study."

Джон: Именно. Кроме того, очень важно, чтобы люди, с которыми мы будем работать были сведущи° и образованны в своей области и имели практический опыт работы. Какие есть у кого-нибудь комментарии? — knowledgeable

Ольга: Также надо сразу позаботиться о коммуникациях. Минимум, который нам нужен—это наличие° факса и телефона. — existence

Джон: Теперь мне пора на встречу, а вас я прошу заняться тем, что мы наметили.

Юрий: Ольга, вы не знаете, мы заказали ручки с названием нашей фирмы на следующий год?

Ольга: Нет, на 1993 год мы заказали калькуляторы и календари. Джон должен был их привезти. А, кстати, он также должен был привезти наши визитные карточки.° У меня кажется уже все закончились. — business cards

Юрий: Мне кажется, что в следующий раз мы можем попробовать° их заказать здесь. Я встречал много рекламных объявлений,° предлагающих подобные° услуги. — attempt, try; advertisements; similar

Ольга: Давайте попробуем. Только надо, чтобы были те же цвета и тот же шрифт,° что обычно на наших визитках. Во всяком случае здесь нам будет гораздо проще сделать их на русском языке. — font

---

Телефонный звонок в представительство:

Ольга: ГТ Лтд. Ольга у телефона.

Джон: Ольга, будьте любезны, подготовьте мне всю корреспонденцию с фирмой "Фритрэйд, Инк." а также сделайте копию предложения о сотрудничестве, которое находится в папке° на моём столе. — folder

Ольга: Хорошо, где мне их для вас оставить?

Джон: Оставьте, пожалуйста, на моём столе, я заеду и заберу эти бумаги перед встречей. Спасибо.
Ольга: Всего хорошего и удачи.

ЗАДАНИЯ

1. Дополните предложения и выучите слова, относящиеся к отправке деловой корреспонденции:

send	Мы рады направить° вам ...
	Прилагаем к письму ...
	Посылаем вам с этим письмом ...
	Сообщаем, что все необходимые документы ...
express; satisfaction	Мы хотим выразить° наше удовлетворение° по поводу заключения контракта и прилагаем ...
confirm	Подтверждаем° получение отправленного вами...
grateful	Мы признательны° за ...
	В подтверждение нашего телефонного разговора ...
This is to inform you	Сообщаем,° что посланные вами ...
given, express	Благодарим вас за внимание, проявленное° к ...
timely	и своевременную° ...

2. Переведите на русский язык:

A. We acknowledge receipt of your letter of May 5, 1992, and hereby confirm that your order is ready.

B. We wish to inform you that we received the samples and price lists which you sent us on December 1, 1992 and intend to place an order shortly.

C. Referring to your letter of July 8, 1993, we would like to inform you that we are extending our offer until the end of this year.

D. We regret to inform you that your proposal is unacceptable to us at this time.

E. We confirm the receipt of your letter, but regret to inform you that our representative will not be able to visit your factory at this time.

F. We have your letter of June 17, 1992, and have noted the attached documents. We are unable to participate in this event, but will consider it in the future.

3. Составьте предложения со следующими словосочетаниями:

подтвердить получение письма, просить выслать° каталог, принимать к сведению, приложить к письму копии счетов,° отправить с курьером°/авиапочтой, отгрузочные документы,° ожидать ответа, надеяться на благоприятное решение, благодарить за услугу, послать в ближайшем будущем, ответить срочно,° передать подробное описание°

remit, send
bills, invoices
by courier
shipping documents
urgently, quickly
detailed description

4. Ответьте на вопросы и выполните задание:

А. Какие почтовые службы° доставляют° срочную деловую корреспонденцию в страны СНГ?

postal services; deliver

Б. Какие виды деловых контактов вы знаете?

В. Напишите деловое письмо вашему коллеге° в России, пользуясь активной лексикой этого урока.

colleague

5. Переведите на русский язык:

A. Both business letters and official documents use the same style, including complex sentences, participles, abbreviations and idioms.

B. The main reason for writing a business letter should be to explain, convince, promote or settle an issue, therefore it should be straightforward, logical and accurate.

C. Commercial language is characterized by many specialized expressions, fixed phrases and formulae, as well as abbreviations, e.g. "We hereby inform you that...", "Referring to your letter of ..."

D. Modern means of communications make it possible for business people to stay in direct, daily contact with partners from other countries.

E. It is usually better to divide a business letter into an introduction, body and conclusion, in which the main points of the body should be re-stressed in a short sentence.

F. A business letter may win or lose a customer for you. Therefore, always write in a style that is friendly, clear and simple.

6. Образуйте однокоренные прилагательные к приведённым ниже существительным и выделите суффикы, при помощи которых они образованы:

consistency
interest
accounting; self-financing; insurance
packaging

торговля, рынок, последовательность,° коммерция, биржа, предложение, заинтересованность,° организация, банк, время, учёт,° хозрасчёт,° страховка,° специальность, информация, основа, бумага, телефон, импорт, экспорт, груз, валюта, брокер, реклама, таможня, промышленность, производство, упаковка°

7. Переведите на русский язык.

23 May 1993

Alexander Ivanovich Grigoriev
General Director
Mashlesstroi Kombinat
Petrozavodsk, Karelia

Dear Mr. Grigoriev,

Please find attached here the following documents: original Bills of Lading, original invoice and copies of each.

The equipment should arrive in Moscow near the end of December.

You must give one of the original bills of lading to the Moscow warehouse before they will release the cargo.

Please advise on any damage immediately upon receipt of the cargo.

Thank you.

John Green
President

ВНЕКЛАССНАЯ РАБОТА

1. Выучите приведённые ниже правила.

Название организации на эмблеме или адресе всегда употребляется в именительном падеже.

Когда корреспонденция адресована в организацию, то имя адресата° употребляется в дательном падеже (кому?).

addressee

Предлог *благодаря°* требует дательного падежа и употребляется, когда есть положительный результат. *Согласно,° соответственно,° вопреки,° подобно* также требуют дательного падежа.

due to

according to; in conformity with; in spite of

Предлоги:

ввиду,° за исключением,°
в силу,° в течение,°
вследствие,° по случаю,°
в лице,° по мере,°
путём,°
помимо,° против,°
в продолжение°

considering, excluding;
because of; during
as a result of; accidently
on the part of; as long as; by means of
besides; against
in continuation of

—требуют после себя родительного падежа.

Предлоги *исключая,° включая,° спустя°* требуют после себя винительного падежа.

excluding; including; later, after

2. Представьте, что во время вашего делового визита в страны СНГ вы наметили несколько проектов для своей фирмы. Напишите 2-3 деловых письма с целью продолжения установленных контактов. Используйте приведённые ниже слова и словосочетания.

запрос,° предложение, заказ, договор, расчёт,° экономичность, затрата,° корреспонденция, экономичность, соглашение, прейскурант,° бланк, образец,° штамп, отправитель, приложение, печать,° предприятие, клиент

request
estimate; expenditure
price list; sample
stamp

ДОПОЛНИТЕЛЬНЫЙ МАТЕРИАЛ

1. Организационно-правовые формы предприятия в России

state enterprise
authorized
property
budgetary allocations
legal entity
economic management

Государственное предприятие°

Государственное предприятие учреждается органами управления РФ, уполномоченными° управлять государственным имуществом.° Вклад государства в предприятие смешанной формы собственности образуется за счёт бюджетных ассигнований,° вкладов других госпредприятий или полученных ими доходов. Госпредприятие является юридическим лицом° и может передавать имущество в хозяйственное ведение° трудового коллектива предприятия.

municipal
established by
local; authorities

Муниципальное° предприятие

Муниципальное предприятие учреждается° местными° или городскими властями.° Имущество образуется за счёт ассигнований из средств соответствующего местного бюджета. Муниципальное предприятие является юридическим лицом и отвечает по своим обязательствам имуществом предприятия.

sole proprietorship
shared
provided for
legal sources
acquisition
charter

Индивидуальное частное предприятие°

Индивидуальное предприятие—это предприятие, принадлежащее гражданину на праве собственности или членам его семьи на праве общей долевой° собственности, если иное не предусмотрено° между ними.

Имущество индивидуального предприятия формируется из имущества гражданина (семьи), полученных доходов и других законных источников.° Индивидуальное предприятие может быть образовано в результате приобретения° гражданами государственного или муниципального предприятия. Ответственность определяется уставом° предприятия.

full partnership

Полное товарищество°

Полное товарищество представляет собой объединение нескольких граждан и/или юридических лиц для совместной хозяйственной деятельности на основании договора между ними.

Все участники полного товарищества несут неограниченную ответственность° по обязательствам товарищества всем своим имуществом.	full liability
Имущество полного товарищества формируется за счёт° вкладов° участников, полученных доходов и других законных источников и принадлежат его участникам на праве общей долевой собственности.	on the basis of; investments
Полное товарищество не является юридическим лицом.	
Участники полного товарищества сохраняют самостоятельность° и права юридического лица.	independence
Смешанное товарищество°	mixed partnership
Также объединение граждан и/или юридических лиц с той же целью, что и полное товарищество.	
Смешанное товарищество включает в себя действительных членов° и членов-вкладчиков.° Действительные члены несут полную ответственность по обязательствам смешанного предприятия, а вкладчики - частичную, в пределах° их вклада.	active members; investing members; limits
Имущество формируется за счёт вкладов участников и принадлежит участникам на основе общей долевой собственности.	
Смешанное товарищество является юридическим лицом, хотя лица участники сохраняют самостоятельность и права юридического лица.	
Товарищество с ограниченной ответственностью°	limited liability partnership
Также называется *акционерным обществом закрытого типа*,° представляет собой объединение граждан и/или юридических лиц для совместной хозяйственной деятельности. Уставной фонд° товарищества (акционерного общества) образуется только за счёт° вкладов (акций°) учредителей.	closed joint stock company; charter fund; on the basis of; shares
Все участники товарищества отвечают по своим обязательствам в пределах своих вкладов. Порядок перехода° вкладов от собственника° к собственнику предусматривается уставом.	transfer; owner
Имущество формируется за счёт вкладов участников, полученных доходов и принадлежит его участникам на базе общей долевой собственности.	

Товарищество с ограниченной ответственностью является юридическим лицом и действует на основании устава. Юридические лица-участники товарищества с ограниченной ответственностью сохраняют самостоятельность и права юридического лица.

open joint stock company

Акционерные общества открытого типа°

Акционерное общество открытого типа представляет собой объединение нескольких граждан и/или юридических лиц для совместной хозяйственной деятельности. Акционеры° несут ответственность по обязательствам акционерного общества в пределах своего вклада (пакета принадлежащих им акций).

shareholders

Акционерное общество не отвечает° по имущественным обязательствам акционеров.

not responsible

Имущество акционерного общества открытого типа формируется за счёт продажи акций в форме открытой подписки полученных доходов и других законных источников. Свободная продажа акций допускается на условиях, устанавливаемых законодательством° РФ.

established by law

Акционерное общество открытого типа является юридическим лицом, действует на основании устава, утверждаемого° его участниками.

approved

association of enterprises

Объединения предприятий°

Предприятия могут объединяться в союзы, ассоциации, концерны, межотраслевые,° региональные и другие объединения. Объединения создаются на договорной основе° с целью расширения° возможностей предприятий в производственном, научно-техническом и социальном развитии.

inter-sectoral

on the basis of an agreement; expansion

Предприятия, входящие в объединения, сохраняют свою самостоятельность и права юридического лица.

affiliates

Филиалы° и представительства предприятия

Предприятие имеет право учреждать представительства, филиалы, отделения с правом открытия текущих и расчётных счетов° в банке.

savings and checking accounts

Подобные подразделения действуют на основании уставов и положений, утверждаемых предприятием.

Арендное предприятие° — leased enterprise

Трудовой коллектив может создать товарищество и взять в аренду государственное, муниципальное или предприятие со смешанной собственностью.

В соответсвии с договором об аренде° (rental agreement, lease) произведённая продукция, полученные доходы и другое приобретённое за счёт арендатора° (lessee) имущество за вычетом арендной платы° (rent) и других обязательных платежей является его собственностью.

Речевые стандарты в деловой корреспонденции

Урок 3

УСТНАЯ ПРАКТИКА

Общепринятые речевые обороты часто употребляются в деловой корреспонденции, придают° ей особый стиль и устанавливают определённую норму. Этот стиль и сама форма меняются с течением времени. Сейчас появляются изменения, тесно связанные с новыми процесами, происходящими в обществе. Таким образом нормы, которые были приняты в Советскую эпоху, будут изменены, чтобы удовлетворять потребности новой системы. Например, обращение *товарищ* более не принято и всё чаще на деловых документах мы встречаемся с обращением *господин.*

adding

Обращение *Вы* традиционно писалось с заглавной° буквы, что выражало уважение к тому, кому оно было адресовано. Позже это было изменено и в письмах не принято. Теперь наблюдается возврат к старому правописанию,° хотя приняты оба варианта. Например: “Мы благодарим Вас за присланные Вами образцы тканей” или “Мы благодарим вас за присланные вами образцы тканей.”

capital

written standard

Как правило, в деловой корреспонденции в случае, когда письмо пишется от лица работника какой-либо организации, то письмо пишется от первого лица множественного числа°, например:

in the first person plural

- Мы с благодарностью принимаем° Ваше предложение о сотрудничестве в этой области.
- В ответ на Ваш запрос мы посылаем полный каталог и прейскурант авиапочтой.
- Настоятельно° просим Вас подтвердить получение груза° и выслать копии отгрузочных документов.

accept

urgently

shipment

previous

В основном, речевые стандарты подобного типа попадают в одну из следующих категорий: фразы, которыми начинаются коммерческие письма, выражение просьбы (благодарности, сожаления, поддержки, согласия, несогласия и т.д.), ссылки на предыдущую° корреспонденцию и заключительные фразы.

Например:

Получив ваше письмо от 20 ноября 1992 года, мы повторно обсудили предложение вашей фирмы.

services rendered
arrival

Выражаем благодарность за оказанные услуги° и просим информировать нас о поступлении° в ваш магазин новых товаров.

based on

На основании° нашего телефонного разговора от 18 августа 1992, прошу считать все предыдущие соглашения недействительными.°

we remain

В ожидании скорого ответа, остаёмся° ...

sincerely

с уважением°,...

ДИАЛОГИ

В представительстве "ГТ, Лтд." посетитель.

Посетитель: Скажите пожалуйста, чем занимается ваша фирма?
Юрий: Мы занимаемся разного рода импортными и экспортными операциями.
Посетитель: Скажите, а какие продукты вы экспортируете из России?
Мы экспортируем некоторое сырье°, изделия из металла, подарочные изделия и изделия прикладного искусства°.
Посетитель: Я представляю завод, который ищет партнёра, имеющего возможность поставить камнеобрабатывающее° оборудование. Наш завод мог бы его приобрести под залог° будущего совместного предприятия.
Юрий: То есть вы ищете партнёра для совместного предприятия, который со своей

raw materials
decorative art objects
mining
on the security of, guaranteed by

стороны поставил бы вам технологию?

Посетитель: Да. Вот здесь у меня предложения на продукцию, которую мы выпускаем, список° необходимого камнеперерабатываю щего оборудования и данные о нашем заводе. Оказываете ли вы услуги по подбору° возможных партнёров?

Юрий: Хотя, откровенно говоря, это немного другая область, чем то, в чём мы специализируемся, я предлагаю вам оставить все эти материалы и вашу визитную карточку. Я передам эту информацию в наш офис в США, и они попробуют найти партнёров для вашего завода. А вас устроит° аренда такого оборудования на определённый срок?

Посетитель: Аренда нас устроит, так как даст возможность поддерживать производительные мощности,° одновременно проводя исследования рынка.° Если такое сотрудничество будет успешным, тогда мы позднее также можем создать СП.

Юрий: Я обещаю вам заняться вашим предложением и связаться с вами, как только у меня будут новости. Попробуйте также позвонить мне в конце января.

Посетитель: Спасибо. Всего хорошего.

Юрий: До свидания.

list
search for
satsify
limited
production capacity
market research

Ольга: Юрий, когда вы собираетесь идти на ланч?°

Юрий: Честно говоря, я не знаю, так как у меня очень много работы.

Ольга: Может быть закажем что-нибудь с доставкой в офис?

Юрий: Как насчёт Пицца Хат?

Ольга: С удовольствием. Тогда как обычно, среднюю пиццу с грибами и две диетические кока-колы?

Юрий: А кстати, интересно действительны ли купоны Пиццы Хат в Москве? У меня совершенно случайно завалялся° купон “купи одну пиццу и получи вторую вполцены”° на среднюю пиццу.

Ольга: Сейчас мы проверим. По-моему, их телефон есть в справочнике *Где в Москве*, на рекламном вкладыше.°

lunch
fall in one's lap
half-price
advertising insert

reserve / *room* / *in person*

Джон: Ольга, в Москву прибывает наш клиент из Австрии. Пожалуйста, закажите° для него номер° в гостинице с 25 января 1993 по 4 февраля. Если нужно, то можно гарантировать заказ кредитной карточкой компании.
Ольга: Его кто-нибудь встречает или надо послать нашу машину?
Джон: Надо послать нашу машину и кому-то поехать лично.°

ЗАДАНИЯ

1. Прочитайте примеры речевых стандартов:

Настоящим подтверждаем получение вашей телеграммы от 15 февраля, 1992.

understanding / *warehouse*

В соответствии с нашей договорённостью,° касательно строительства склада° ...

Мы рады сообщить, что проект, над которым мы работали ...

В ответ на вашу просьбу в письме от ...

invoices; payment documents

К вашему вниманию прилагаем к этому письму копии счетов° и платёжных поручений.°

В связи со сделанным Вашей фирмой предложением ...

Просим ответить на наш запрос от 15 ноября, 1992 ...

approximate

Сообщите пожалуйста приблизительные° даты Вашего визита в ...

grateful

Мы будем признательны,° если Вы ...

2. Прочтите текст и выполните задания:

Господин Грин читает лекцию. Его пригласили посетить школу менеджеров в Москве и рассказать о его опыте в международной торговле. Господин Грин решил провести беседу о составлении° коммерческого предложения. — compilation, composition

Дорогие коллеги, я уже не первый раз приезжаю в Москву и имею опыт участия в международных выставках и встречаю очень много интересных людей. У большинства у них есть какие-то деловые предложения.

Когда мы знакомимся, то обмениваемся° визитными карточками. Позднее, мы устанавливаем контакт и пытаемся работать вместе, но очень часто возникают° проблемы из-за отсутствия° практики составления коммерческого предложения. Уходит много времени на получение полной информации.

exchange; arise; absence

Поэтому я приведу одну полезную схему:

Вы предлагаете определённый° продукт и сразу прилагаете следующую информацию: — definite

- Наименование,° модель, вид продукта; — name
- Специальные характеристики;° — specifications
- Назначение,° описание;° — purpose; description
- Цена, условия поставки,° вид упаковки;° — terms of delivery; packaging
- Каталог, если есть.

Спасибо за внимание.

3. Придумайте 5 вопросов, касающихся деловой корреспонденции, которые задали студенты господину Грину; ответьте на эти вопросы.

4. Прочтите текст и выучите заключительные фразы, принятые в деловой корреспонденции.

В оффисе фирмы ГТ Лтд., во время перерыва Юрий и его ассистент читают деловые письма, которые получает фирма. У них возникают трудности с заключительными фразами. В одной из папок с документами им встречаются такие выражения:

Надеясь, что Вы сможете в ближайшее время ..., остаёмся

relying/depending on
earnestly

Рассчитывая° на Ваше внимание к этому вопросу ..., убедительно° просим ...

respectfully, sincerely

В ожидании скорого ответа, остаёмся с уважением,° ...

satisfaction

Выражаем удовлетворение° по поводу...

Благодарим за оказанную помощь и остаёмся

Будем очень признательны, если Вы ...

Сообщим дополнительно о результатах проведения выставки ...

Пожалуйста, подтвердите получение заказа на ...

С уважением,

anxiously

С нетерпением° ждём дополнительных сообщений о ...

forthcoming

С большим интересом готовимся к предстоящему° событию ...

5. Составьте примеры деловой корреспонденции, используя речевые стандарты и приведённые ниже слова и словосочетания:

запрос, предложение, подтверждать, признавать, напомнить, информировать, сделать заметку, принимать во внимание, отказ, ввиду (чего-либо), благодаря (чему), задержка, каталог, прейскурант, прайс-лист, образцы, перечень товаров, на основании нашего телефонного разговора, приложить, отправить почтой, послать (с курьером, экспресс-почтой), проект, спецификации, описание

6. Напишите ответ на письма, написанные Вами, используя данные выше слова и словосочетания.

ВНЕКЛАССНАЯ РАБОТА

1. Прочтите письмо и ответьте на вопросы.

СОВМЕСТНОЕ РУССКО-АМЕРИКАНСКОЕ
ПРЕДПРИЯТИЕ **ИНОСЕРВИС**

129010 Москва
Охотничий бульвар

тел: (095) 230-2222
телекс: 1256734
факс: (095) 230-3333

30 мая, 1992
В Правление СП "Иносервис"

Считаем необходимым довести до вашего сведения, что коллектив СП "Иносервис" абсолютно уверен в том, что действия генерального директора Потапова А.К. и его заместителя° Тягунина П.А. идут вразрез° интересам деятельности совместного предприятия: ими осущест вляются попытки незаконного перевода° денежных средств в валюте и рублях на счета созданной ими частной фирмы, переманивание° российской и иностранной клиентуры, являющейся партнёрами СП "Иносервис", имеют место нарушения° финансовой дисциплины и отчётности.°

deputy; contrary
transfer
theft
violation
reporting

Надеемся, что данный вопрос будет всесторонне° рассмотрен Правлением° с привлечением всех участвующих в конфликте сторон.

comprehensively
board of directors

С уважением,
коллектив СП "Иносервис"

Подписи:

Вопросы к тексту:

А. Чем вызвана конфликтная ситуация в СП "Иносервис"?

Б. Какова цель данного письма?

2. Переведите на английский язык:

А. Вся дипломатическая корреспонденция, направляемая в посольства, консульства и официальные торговые миссии, составляется на языке той страны, где они находятся.

Б. В связи с развитием электронных средств связи, обмен корреспонденцией упрощается.

В. Разговорные выражения в деловой корреспонденции заменяются подходящими по стилю и смыслу выражениями.

Г. В деловых документах русских организаций и предприятий печать используется гораздо чаще, чем в американских.

Д. В русском языке использование слова *дорогой* в обращении встречается чаще в устной официальной речи, чем в письме. В письменной форме более принято выражение *уважаемый*.

Е. В деловом стиле русского языка часто используются отглагольные существительные, например: предложение, подтверждение, выполнение, изменение.

ДОПОЛНИТЕЛЬНЫЙ МАТЕРИАЛ

1. Запрос

Запросы являются одним из самых распространённых° видов деловой корреспонденции и посылаются различным фирмам с тем, чтобы получить предложения на поставку товаров или стоимости услуг.

widespread

Они пишутся в форме кратких деловых писем и для эффективности работы, как правило, посылаются факсом или телексом.

В ответ на запрос о состоянии интересующей нас отрасли фирма получила следующую информацию:

Положение в горнодобывающей° промышленности бывшего СССР

Глубокий экономический кризис, поразивший° экономику бывшего СССР, отразился и на горнодобывающей промышленности, основу которой составляет угольная° промышленность.

Около половины общей добычи угля в России добывается открытым способом.°

Крупнейшими открытыми разрезами° являются Кузбассуголь, Востсибуголь, Неренгинский. Крупное месторождение бокситов находится в городе Апатиты, железной руды° в Криворожье и Курской области.

В целом, ситуация в этой области близка к катастрофической по следующим причинам:

1. Исторически советская металлургия ориентировалась на устаревший доменный процесс,° который требует большого количества коксующегося угля,° таким образом собственные потребности в коксующемся угле огромны.

2. Более 70% электроэнергии, производимой на территории бывшего СССР, производится на тепловых электростанциях,° при этом незначительная часть из них работает на газовом топливе, а большая часть на угле. Таким образом собственные потребности в энергетическом угле также огромны.

3. Многомесячная забастовка° шахтёров в 1991 году привела к тому, что запасы° угля, как энергетического, так и коксующегося сведены к минимуму.

Так, например, Нерентинский разрез, создававшийся как экспортная база и поставлявший ежегодно миллионы тонн сырья за рубеж, в настоящее время способен экспортировать лишь 30%. Остальное потребляется внутри страны. И даже при этом на Дальнем востоке существует дефицит угля, исчисляемый° десятками миллионов тонн.

Основной вывод состоит в том, что отрасль° в настоящее время не имеет экспортного потенциала и следовательно лишена° валютных средств для её модернизации.

mining
suffer from
coal
open-pit mining
strip mining
ore
blast furnace
coking coal
fuel-burning power plants
strike
reserves
figured at
sector
lacks

Бюджетное финансирование горнодобывающей промышленности, которое широко применялось° (used) в прошлом, в настоящее время полностью прекращено.

2. Анализ рынка° (market study)

Проведение анализа рынка является услугой, оказываемой° (provided by) многими консультативными фирмами. Такие фирмы обычно имеют свои представительства в Москве и доступ° к самой последней° (access; current) статистической и экономической информации. Для своих докладов они также используют многочисленные коммерческие печатные издания.

Анализ производства моторных масел° (motor oil) в России

В настоящее время в отрасли производства моторных масел в России функционируют около 20 нефтеперерабатывающих° (oil refining) заводов.

С точки зрения характеристики положения отрасли важным является информация о положении в смежной° отрасли нефтедобычи,° (contiguous; oil-extraction) которая переживает серьёзный кризис и падение° (fall) производства за последние два года на 15%. Несмотря на общее сокращение добычи нефти, собственные потребности России вполне удовлетворяются за счёт сокращения поставок бывшим союзным республикам и странам социалистического лагеря.

Отсутствие у России твёрдых обязательств° (firm obligations) о поставках нефти перед прежними партнёрами ставит её в выгодное° (advantageous) положение, позволяя решать в первую очередь собственные проблемы. Из производимого Россией в 1992 количества нефти в сутки (около 8-9 миллионов баррелей в сутки° (24 hour period)) существующие мощности позволяют осуществить° (effect) переработку лишь двух третей от этого количества. Таким образом, скорее мы можем наблюдать кризис перепроизводства,° (over-production) которого реально конечно не будет, так как несмотря на то, что собственные потребности° (demands) России в топливе и маслах намного меньше потребностей бывшего Союза, однако, за счёт° (by means of) излишков,° Россия пытается восполнить° (surplus; fill the gap) недостаток бюджетных валютных ресурсов.

Общий вывод: несмотря на сокращение производства нефтепродуктов в целом, Россия, вероятнее всего,° не будет испытывать их дефицита.	most likely
Рассмотрим° положение в области моторных масел более внимательно.	examine
В основном, промышленность бывшего Советского Союза была в состоянии производить:	
• базовые масла;	
• моторные масла с использованием западных пакетов присадок.°	additives
С другой стороны, необходимо учитывать° следующие факторы:	consider
• в целом Россия, как территория, является чрезвычайно разнообразной° с точки зрения климатических условий, предъявляющих° серьёзные требования к качеству используемых моторных масел;	diverse presenting
• Россия является огромным рынком для данного вида продукции;	
• сильно развитая в целом промышленность нефтедобычи и нефтепереработки является одной из базовых° отраслей Российской экономики и способна решить проблемы самообеспечения° базовыми моторными маслами по приемлемым° ценам;	basic self-support acceptable
• конкурировать° с ней будет чрезвычайно трудно, имея в виду непременную° поддержку этой области Российским правительством (даже в 1991 планировались солидные госинвестиции°) и таможенную политику.	compete certain state investment
• ни одна из ведущих западных фирм, производящих нефтепродукты, не пришла на Российский рынок с готовой продукцией;°	finished products
• исключение составляет продажа масел за валюту для удовлетворения° нужд флота,° где довольно остро конкурируют много фирм.	satisfaction; navy

Объёмы этой торговли составляют тысячи тон ежегодно, хотя в чистом виде её нельзя назвать работой на потребительском° рынке. Скорее это удачное использование потребительской ниши.°

Попытки выставлять на свободную продажу° за валюту отдельные виды моторных масел осуществляются в основном мелкими° СП самостоятельно. Определённый рынок для такой торговли есть главным образом в городах, где имеется большое количество иномарок.° Это свойственно главным образом для портовых° городов, а также для столиц бывших союзных республик, а ныне независимых государств.

Этого рынка вполне достаточно для мелкого и среднего бизнеса, однако совершенно недостаточно, чтобы вступить в конкуренцию за местного потребителя с местной нефтеперерабатывающей промышленностью, имеющей дешёвое сырьё и рабочую силу.°

Большинство заводов располагают° технологией для производства неплохих базовых масел, хотя они требуют улучшения, так как имеют широкий фракционный° состав и высокую испаряемость.°

В противовес° маслопроизводящим фирмам, положение на рынке гораздо благоприятнее для фирм, производящих присадки. Россия совершенно не располагает мощными лабораториями по разработке присадок и не имеет достаточных мощностей по их производству.

Глобальный вывод состоит в том, что рекомендуемым направлением деятельности может быть совместная с российскими фирмами деятельность по:

- совместному доведению° базовых масел до необходимого уровня;
- совместная разработка° пакета присадок для производства недорогого масла для широкого потребителя;
- организация технологического процесса по упаковке готовой продукции и её сбыту.°

consumer
niche
open market
smaller
foreign makes (cars)
port
workforce
have
separable
evaporation point
on the other hand
improvement
development
sale

Краткие письма и телеграммы

Урок 4

УСТНАЯ ПРАКТИКА

В результате развития современных средств связи, деловая корреспонденция стала более краткой. Это является характерным признаком° телеграм и кратких деловых писем.

feature

Краткие письма

Краткие деловые письма как правило посылаются по факсу° или электронной почтой.° В них также используются стандартные выражения и кратко излагается содержание письма. Обычно краткие письма состоят из одного или нескольких предложений, заключающих в себе всю информацию. Краткие деловые письма отправляемые° по факсу часто печатаются° на бланках° организаций следующего образца:

by fax; by electronic mail

sent

printed; letterhead

ТЕЛЕФАКС

ГТ ЛТД.

129010 Москва Б. Спасская ул., д. 80 тел: 223-0262 телекс: 411834 NHT факс: 223-8976	10th West Str. New York, NY 00001 tel: (212) 343-0000 fax: (212) 343-0001

TO/КОМУ:

DATE/ДАТА:

COMPANY/ФИРМА:

FROM/ОТ КОГО:

TOTAL PAGES/КОЛ. СТРАНИЦ:

Телеграммы

Телеграмма используется при необходимости срочного° разрешения деловых вопросов и часто, когда другие средства связи недоступны. Кроме того телеграмма, в виду того, что отправляется через государственную почту, является официальным документом, подтверждающим°, что какое-то сообщение было сделано и было доставлено адресату°.

urgent

confirming

addressee

Телеграммы

Телеграммы имеют особый телеграфный стиль, в котором допускается использование сокращений, пропуск предлогов, обозначение знаков препинания° буквами и выбор коротких слов (не более 10 букв).

punctuation

Когда отправляется международная телеграмма на русском языке, то русские буквы заменяются латинскими по фонетическому принципу.

А - A
Б - B
В - V
Г - G
Д - D
Е - E,YE
Ж - ZH
З - Z
И - I
К - K
Л - L
М - M
Н - N
О - O
П - P
Р - R
С - S
Т - T
У - U
Ф - F
Х - KH,H
Ц - C, TS
Ч - CH
Ш - SH
Щ - SHCH, TSCH
Ь,Ъ - --
Ы - Y
Э - E
Ю - U
Я - IA,YA

Знаки препинания в телеграммах на русском языке обозначаются следующим образом:

, (запятая) - ЗПТ
. (точка) - ТЧК
: (двоеточие) - ДВТЧ
“ (кавычки) - КВЧ
() (скобки) - СКБ
№ - НР

Например:
ЦЕЛЯХ РЕАЛИЗАЦИИ УКАЗА ПРЕЗИДЕНТА РФ ОТ 21 ИЮНЯ 1992 НР 636 КВЧ О МЕРАХ ПО ЗАЩИТЕ ДЕНЕЖНОЙ СИСТЕМЫ РФ КВЧ ЗПТ НАЧИНАЯ С 1 ИЮЛЯ 1992 ГОДА МЕЖГОСУДАРСТВЕННЫЕ РАСЧЁТЫ ПО КОРРЕСПОНДЕНТСКИМ СЧЕТАМ НАЦИОНАЛЬНЫХ СКБ ЦЕНТРАЛЬНЫХ СКБ БАНКОВ КВЧ РУБЛЁВОЙ ЗОНЫ КВЧ ПРОИЗВОДИТСЯ УЧЕТОМ СЛЕДУЮЩЕГО...

Обратите внимание на образец бланка международной телеграммы, используемой в России.

МЕЖДУНАРОДНАЯ
ТЕЛЕГРАММА

Слов	Плата руб.	коп.	МИНИСТЕРСТВО СВЯЗИ РОССИИ	ПЕРЕДАЧА
			de ____________	______ го ______ ч. ______ м.
			№ ____________	№ связи ____________
итого				Передал ____________
Принял ________			____ сл. ___ го ___ ч. ___ м.	

Кому: ____

Адрес: ____

Город, страна: ____

____

____

____

____

____

____

____

Фамилия отправителя
и его адрес

ДИАЛОГИ

Почтальон: Здравствуйте, скажите это ГТ Лтд.?
Ольга: Да, здравствуйте.
Почтальон: Вам срочная телеграмма, распишитесь,° пожалуйста.
sign, endorse
Ольга: Пожалуйста, и большое вам спасибо за доставку.°
delivery
Почтальон: Всего хорошего. (уходит)
Ольга: Так, это из Центрального Банка. Юрий, послушайте, что нам сообщает Центральный Банк: "NASTOYASHCHIM PODTVERZHDAEM PREDOPLATU KONTRAKTU 05/009-FG-756 RAZMERE 80346USD ZPT PROSIM SROCHNO NACHAT OTPRAVKU GRUZA SOOTVETSTVII PRILOZHENIEM KONTRAKTU."
Юрий: Я сейчас же отправлю факс на завод-изготовитель° и проверю, поступили° ли переведённые° Центральным Банком деньги в наш банк.
manufacturer; received; transferred
Ольга: А я пошлю копию этой телеграммы по факсу в наш офис в Нью-Йорке.

Ольга сообщает Джон Грин о телеграмме и проделанной работе

Ольга: В этой папке копии всей поступившей корреспонденции по этому контракту. Вот это - телеграмма о предоплате.° Это подтверждение° из нашего банка о том, что средства° поступили. Это письмо Юрия на завод-изготовитель следующего содержания: "Относительно контракта 05/009-FG-756: Подтверждаем получение полной предоплаты и просим срочно готовить оборудование в соответствии со спецификациями° в приложении к контракту к отправке. С курьером высылаем маркировочные этикетки° на ящики."
advanced payment
confirmation; funds
specifications
labels
Джон: А у вас есть образцы этикеток?
Ольга: Да, они в этой же папке. На них указаны номер контракта, адрес получателя,° условия транспортировки и хранения. Всё на русском и английском языках.
consignee
Джон: Превосходно. Я возьму всю эту папку с собой в Нью-Йорк, мы подготовим

отгрузочные документы и посмотрим, какие у нас перспективы со страховкой.° Отправьте, пожалуйста, краткое письмо заказчику: "Касательно контракта 05/009-FG-756: оплата получена полностью, груз готов к отправке и будет доставлен в соответствии° с условиями контракта в течение 45 дней с возможной более быстрой доставкой."

insurance

in accordance

Спасибо за помощь, Ольга. Вы с Юрием сделали очень много работы.

Ольга: Юрий, как вы думаете, почему Центральный Банк прислал нам телеграмму? Ведь они могли сделать это сообщение по факсу, иногда они даже звонили по телефону.

Юрий: По-моему, в связи с выходом в июне указа президента Российской Федерации, *О мерах по защите денежной системы РФ*. В указе говорится, что корреспонденция по межгосударственным° расчётам должна направляться преимущественно спецсвязью.°

interstate

special communications

Ольга: А что входит в понятие спецсвязь?

Юрий: По-моему это телеграф и курьер, или как его ещё называют *нарочный,* послать с нарочным.°

express delivery

ЗАДАНИЯ

1. Выполните задания:

А. Напишите краткий факс, посланный Джоном Грином сразу после его приезда в Москву, на приведённом на первой странице этого урока бланке.

Б. Напишите телеграмму, посланную Ольгой на приведённом бланке международной телеграммы.

2. Прочитайте примеры стандартных выражений, употребляемых в деловых письмах:

А. Настоящим подтверждаем получение товаров по контракту 007-98763/FK.

Б. Настоящим сообщаем вам об отправке всех отгрузочных документов авиапочтой.

В. Настоятельно просим поставить нас в известность о состоянии проекта по строительству выставочных помещений.° — exhibition facilities

Г. Выражаем благодарность за высланные нам материалы и каталоги.

Д. Выражаем сожаление, что не можем принять участие в организованной вашей фирмой выставке.

Е. Сожалеем о задержке° в оформлении документов, происшедших в результате неточности° в заполненных вами платёжных поручениях. — delay; discrepancy

Ж. Просим сообщить о принятом вами решении об участии в международном симпозиуме в Москве.

З. Просим ускорить сроки строительства объекта и сообщить о вашем решении как можно быстрее.

И. Просим изменить дату поставки товара в контракте 7900-007/АЛ, что соответствует нашему договору от 6 сентября, 1992 года.

К. Просим сообщить о состоянии нашего заказа на оборудование для офиса.° — office equipment

Л. Просим срочно сообщить о дате вашего приезда в Санкт-Петербург.

М. С радостью сообщаем вам, что номер в гостинице Метрополь зарезервирован на ваше имя, начиная с 9 октября по 29 октября, 1992.

Н. Сообщаем, что наш представитель в Москве встретит вас в аэропорту Шереметьево у стойки° *Информация*. — booth

О. Просим вас принять во внимание, что по условиям нашего контракта оборудование включает все необходимые аксессуары.° — accesories

П. К настоящему письму прилагаются копии брошюр° и прейскуранты, которые вы просили.

brochure

Р. Выражаем благодарность за оказанный тёплый приём° и помощь во время нашего визита в Россию.

warm reception

С. Выражаем признательность за оказанные вашей фирмой услуги° и прилагаем копии платёжных поручений.

services

instructions

ВНЕКЛАССНАЯ РАБОТА

1. Переведите на русский язык:

A. Please note that the producer has said that the product can be kept 8-9 months at a temperature of -18-20°C.

B. We hereby confirm the receipt of the brochures, together with plans and all required measurements.

C. We thank you for your order and kindly request that you return to us a signed copy of this confirmation.

D. Please find below the prices that you requested and a proposed delivery schedule.

E. Please be informed that it is possible to send all the documents via regular airmail directly to the supplier.

F. Please advise Mr. Denisov to make a transfer as soon as possible using the SWIFT-code given below.

G. We hereby acknowledge the receipt of your new order and will send you promptly a new contract, proforma invoices and a quotation for new freight costs.

2. Обратите внимание на использование слов в переносном значении и составьте краткие письма.

Погасить задолженность° — repay debt
Принять в расчёт° — take into account
Иметь в виду° — keep in mind
Заморозить счёт° — freeze an account

3. Фирма ГТ Лтд. имеет намерение открыть валютный магазин в Москве. Джон Грин, генеральный директор фирмы, занимается регистрацией и оформлением документов. От его имени напишите три кратких письма по данной теме.

4. Напишите приведённую телеграмму и ответ на неё на русском языке:

Телеграмма:
PODTVERZHDAEM PROIZVEDENA POLNAYA OPLATA PO KONTRAKTU 070/09652, PROSIM NACHINAT POSTAVKU KONCE MESYACA.

Ответ:
We hereby confirm receipt of your telegram of January 5, 1992. As per our contract, we will begin shipping the equipment immediately after payment has been received in full.

5. Напишите международные телеграммы в ответ на следующие краткие письма.

purchase; ecologically clean

А. Прошу срочно сообщить данные о переводе фондов на счёт Центрального Банка России для закупки° части продуктов в экологически чистых° районах России.

space
cash register counters

Б. Настоящим подтверждаем, что помещение° для магазина готово. Сообщите об отправке холодильных установок, расчётных узлов° и компьютеров.

monthly

В. Предлагаю послать запрос о возможности ежемесячных° поставок через Финляндию.

ДОПОЛНИТЕЛЬНЫЙ МАТЕРИАЛ

noticeable; world view
due to

1. Деловой этикет
Существует заметная° разница в мировоззрении° западного и российского работника. Общая тенденция полагаться° в значительной мере на руководство и нематериальную форму компенсации с его стороны особенно сильна у старшего поколения.

Параллельно с этим демократия на рабочем месте гораздо более развита у русских. Это поддерживалось профсоюзами в советскую эпоху, а происходит из древнего обычая принимать решения всем миром.° — village mir

Несколько поколений воспитывалось в духе экстремального коллективизма, потому до сих пор групповое материальное поощрение° (премии) гораздо предпочтительнее° индивидуального. — bonuses, encouragement; preferable

2. Советы руководителю: что сделать, чтобы ваши распоряжения выполняли?

- Обращаясь к своим подчиненным,° называйте их по имени, или имени отчеству, в зависимости от их предпочтения. — subordinates

- Отдавая устные распоряжения° пользуйтесь такими фразами: — orders, instructions

  Будьте добры...
  Будьте любезны...
  У меня к вам просьба...
  Возможно, имеет смысл...

- В конце предложения уместно добавить фразы:

  Не правда ли?
  Согласны ли вы?
  Как вы думаете?
  Как вы считаете?

- Чтобы уточнить готовность сотрудника выполнить поручение,° можно использовать следующую форму: — instruction

  У вас нет никаких возражений?
  Об этом мы договорились?
  У вас есть какие-нибудь вопросы?
  Хорошо.
  По этому вопросу всё решено, давайте перейдём к следующему.

3. Телефонные разговоры

responsible for

Многое зависит от того, кто в вашей фирме отвечает на° телефонные звонки и как, и отвечает ли вообще.

characteristics

Устный деловой русский язык, значительную часть которого составляют телефонные разговоры, имеет те же основные черты,° что и письменный.

generally accepted

Существуют общепринятые° формы вежливости, обычно имеющие место в начале и конце разговора:

скажите, пожалуйста ...
вы не могли бы передать ...
вы могли бы немного подождать у телефона ...
я была бы вам очень признательна ...
сожалею, но ...
я бы рекомендовала вам ...
если позволите ...
всего хорошего ...
благодарю за помощь ...
будьте так любезны ...

expressions

Разговорные выражения° в деловой речи не употребляются.

find out

Особенно важно, чтобы человек, отвечающий на телефонные звонки, был достаточно информирован, чтобы ответить на все вопросы звонящего. Ведя международные телефонные переговоры рекомендуется сначала выяснить,° на каком языке всем участвующим удобнее говорить.

Телефонные разговоры: примеры

hear completely

Секретарь: Фирма Техноимпорт.
Мэри: Простите, я не расслышал,° это какая фирма?
Секретарь: Фирма Техноимпорт.
Мэри: Я хочу послать вам факс, это номер телефона или факса?

connected
press button

Секретарь: Они у нас установлены° на одной линии. Сейчас я нажму кнопку° старт, и вы можете начинать трансмиссию.
Мэри: Хорошо. Спасибо.

Мэри: Фирма ГТ Лтд., Мэри слушает.
А. Бунин: Могу ли я говорить с господином Грином?
Мэри: Господин Грин сейчас на совещании,° но я с удовольствием передам ему, что вы звонили и он вам перезвонит.°
А. Бунин: Передайте пожалуйста, что звонил Александр Бунин из Техноимпорта, мой телефон 276-7892. Я буду на месте до 5.30.
Мэри: Я передам ему, как только он освободится.°
А. Бунин: Спасибо большое. Всего хорошего.
Мэри: До свидания.

meeting
call back/again
free, unengaged

Мэри: Добрый день, я звоню по поручению° господина Грина и хотела бы узнать, по какому адресу находится представительство вашей фирмы. Господин Грин собирается посетить пресс-конференцию, которую вы организовали.
Секретарь: Наша фирма находится в Центре Международной Торговли на Краснопресненской набережной, дом 12. Встреча участников° и гостей в конференц-зале на первом этаже.
Мэри: Спасибо за информацию.
Секретарь: Пожалуйста. Всего хорошего.
Мэри: До свидания.

instructions
participants

Мэри: Алло, это транспортный отдел?
Продавец: Нет, это хозяйственный магазин.
Мэри: Извините, я не туда попал.

Международные выставки

Урок 5

УСТНАЯ ПРАКТИКА

Проведение° и посещение° международных выставок является одним из видов деловых контактов, дающим возможность заинтересованным людям разных стран встретиться, показать свою продукцию,° увидеть продукцию других фирм, познакомиться с новыми потенциальными клиентами и заключить контракты на поставки. На международные выставки в странах СНГ приезжают потребители° из разных городов, а также представители коммерческих организаций, получивших возможность заключать контракты с иностранными фирмами напрямую.°

conduct; visitation

products

consumers

directly

Условия проведения выставок основаны на международной практике и являются приемлемыми для экспонентов° любой страны. В выставке, как правило, участвуют государственные, кооперативные, частные организации и торговые и посреднические° фирмы разных стран.

exhibitors

brokerage

Большинство международных отраслевых выставок планируется на 5-10 лет вперёд. Существует несколько международных фирм-организаторов° выставок, которые подписывают контракты со всеми участниками. Как правило, они же издают каталоги выставок, где указаны все участники, виды их продукции или услуг, координаты.

organizing company

Особое место среди выставочных мероприятий занимают международные выставки, посвящённые важным отраслям° промышленности и сельского хозяйства, такие как:

sector, branch

- Здравоохранение, медицинская техника и лекарственные препараты
- Современные средства воспроизводства° и использования водных ресурсов
- Оборудование, машины, приборы° и средства

recycling

instruments

автоматизации для угольной промышленности
- Сельскохозяйственные машины, оборудование и приборы

Во время международных выставок обычно проводятся научно-технические симпозиумы.

total value

Общая сумма° контрактов, заключаемых на выставках достигает десятков миллиардов рублей.

qualified

Участникам выставок обеспечивается широкая реклама, современный выставочный сервис, проживание в лучших гостиницах Москвы и других городов СНГ, услуги квалифицированных° переводчиков.

level of interest
scale

Фирмы-участницы, не имеющие постоянных представительств в странах СНГ имеют возможность определить уровень интереса° к своей продукции, масштабы° рынка и его особенности.

ДИАЛОГИ

Джон Грин в гостинице

plan

Бизнесмен: Господин Грин, вы собираетесь° посетить выставку *Сельхозтехника-94* в Экспоцентре на Краснопресненской набережной?

going, heading
exposition

Джон: Я направляюсь° туда сейчас. Я слышал, что там есть очень интересные экспозиции.°

Бизнесмен: Ваша фирма тоже участвует в выставке?

Джон: Наша фирма не представляет никакие экспонаты, но внесена в каталог. Брошюры фирмы ГТ Лтд. выставлены на специальных стендах также. А вы участвуете?

packing materials
commercial/business center

Бизнесмен: У нас совместная экспозиция с другой компанией, тоже специализирующейся на упаковочных материалах.° Давайте встретимся в коммерческом центре,° и я проведу вас к нашему стенду.

Джон: Хорошо, я буду в коммерческом центре в 11 часов.

На выставке. Разговор между посетителями и представителями фирмы экспонента

Представитель: Вам нравится эта экспозиция?

Посетитель: Да, она сделана на высоком техническом уровне, очень необычна и интересна. Кроме того, я думаю, что в России большой рынок для такого оборудования. А где можно купить запчасти° к оборудованию вашей фирмы?

Представитель: До недавнего времени запчасти надо было заказывать через наше представительство в Санкт-Петербурге. Сейчас мы открыли станцию обслуживания,° где можно также приобретать° запчасти.

Посетитель: Я видел некоторые машины вашей фирмы в действии° на открытой выставочной площади и они неизменно привлекают° внимание посетителей. Кто делал отбор° экспонатов для этой выставки?

Представитель: В основном мы демонстрируем новые образцы и несколько самых популярных моделей.

Посетитель: Спасибо за информацию. Желаю успеха.

spare parts
service station
obtain, acquire
in action
attract
selection

Ольга обращается в справочное бюро гостиницы за информацией

Ольга: Скажите, когда начинается и где состоится оперный фестиваль?

Справ.: Оперный фестиваль начинается в июле и состоится на Красной площади.

Ольга: А какие ещё международные мероприятия планируются этим летом в столице?

Справ.: Будет проводится кинофестиваль, международный конкурс артистов цирка, различные вернисажи, показ мод, аукцион антиквариата.

ЗАДАНИЯ

1. Прочтите письмо-приглашение. Обратите внимание на выделенные слова.

Медтехника 93

chamber of commerce

Торгово-промышленная палата° Российской Федерации имеет честь пригласить Вас принять участие в международной специализированной выставке *Медтехника 93*, которая будет проводиться в Санкт-Петербурге в июне 1993 года.

theme

Тематическое содержание° выставки прилагается. Экспонентам предоставляется возможность показать на выставке кинофильмы, прочитать лекции, соответствующие тематике выставки, и показать работу приборов в действии.

На выставке будет создан коммерческий центр из представителей торговых организаций стран содружества для проведения переговоров, деловых встреч и заключения торговых сделок.

applications
installation
dismantling

Заявки° на участие принимаются до 30 ноября 1992 года. Монтажные° работы экспоненты могут начать 15 мая 1993, демонтаж° должен быть закончен в июле 1993.

Арендная плата за 10 кв.м площади составляет:

закрытая выставочная площадь—$500.00
открытая выставочная площадь—$200.00
закрытая складская° площадь—$250.00
открытая складская площадь—$100.00

storage

Если ваша организация заинтересована принять участие в выставке, просим выслать в наш адрес 10 экземпляров проспектов и счетов-проформ° на продукцию, которую вы намерены показать на выставке.

pro-forma invoice

По всем вопросам по участию в выставке просим обращаться по адресу ...

2. Используя приведённую внизу информацию об услугах, составьте диалог Джона Грина с представителем комбината. Какие дополнительные вопросы задали друг другу Джон Грин и представитель?

КОМБИНАТ ПО ОФОРМЛЕНИЮ ИННОСТРАННЫХ ВЫСТАВОК В РОССИИ

ИНФОРМАЦИЯ О СЕРВИСЕ

1. Изготовление стенда включает: строительство, освещение,° ковровое° покрытие, кухонный комбайн, холодильник, стол, стулья, шкаф, полку, вешалку, телефон. Орентировочная стоимость:

lighting; carpeting

Стенд площадью 18 м2	2000$ US
Стенд площадью 24 м2	2200$ US
Стенд площадью 36 м2	2400$ US
Стенд площадью 48 м2	2600$ US
Стенд площадью 54 м2	2900$ US

В стоимость входят° доставка, монтаж и демонтаж стенда и оборудования.

included

2. В случае заказа экспонентом стенда по индивидуальному проекту, составляется специальная калькуляция.

3. При строительстве и оборудовании стендов вне Москвы стоимость увеличивается: в Санкт-Петербурге - на 7%, в Урале - на 20%, в Сибире - на 28%, в Приморье - на 35%.

3. Вместо точек вставьте подходящие по смыслу слова и словосочетания из активной лексики урока.

Московская выставка ... вызвала большой интерес у ... Коммерческий характер выставки способствует ... В коммерческом центре ведутся переговоры ... Сумма арендной платы ... в установленном порядке ... Наша экспозиция ... в павильоне № 5. Экспонаты ... о достижениях в ... Особенным успехом пользовалась ...

ВНЕКЛАССНАЯ РАБОТА

1. Напишите краткое письмо, сообщающее о проведении выставки, используя слова и словосочетания:

тематическое содержание, заявки на участие, монтажные работы, показывать работу приборов в действии, счёт-проформа, арендная плата, складское помещение, выставочный каталог

2. Напишите ответ на письмо (задание 1) об участии вашей фирмы в выставке, используя слова и словосочетания:

привлечь/привлекать (кого, к чему), выставочный комплекс, экспонировать, экспозиция, пункт развёртывания° экспозиции, наличие всех удобств° и коммуникаций, получить заказы на, экспонент

deployment
conveniences

3. Выполните задания по следующим условиям, используя приведённые ниже выражения:

Ваша фирма – участник международной выставки или выставки-ярмарки. От имени фирмы вы:

А. делаете презентацию в Пресс-центре о продукции, которую экспонирует ваша фирма.

Б. ведёте деловую беседу в коммерческом центре выставки.

4. Составьте предложения с приведёнными ниже словами:

симпозиум, семинар, конференция, международное шоу, конгресс, ярмарка, съезд

тематическая, юбилейная, международная, научная выставка, национальная, торгово-промышленная, передвижная,° рекламная,

traveling, mobile

специализированная, некоммерческая,° ежегодная, коммерческая, традиционная

non-profit

5. Переведите на английский язык.

А. Направляем вам заявку на участие в международной выставке.

Б. Сумма арендной платы будет внесена нами в установленном порядке.

В. Расчёт за аренду будет произведён в соответствии с условиями участия в ярмарке.

Г. Настоящим подтверждаем, что фирма ГТ Лтд. примет участие в ежегодной ярмарке.

Д. Сообщаем, что для планируемой нашей компанией экспозиции потребуется открытая площадка размером в 100 кв. метров.

Е. Открытая выставочная площадь составляет 3000 кв. метров.

6. Сделайте обзор информации о международных выставках из текущих газет.

7. Ответьте на вопросы.

А. Что является существенной° стороной выставки-ярмарки?
(commercial deals)

important, essential

Б. Как отнеслись к международной выставке-ярмарке в Москве зарубежные партнёры?
(to evoke interest among foreign trade partners)

В. Что можно увидеть в выставочных павильонах?
(a great variety of books: novels, poetry collections, history, art, science, etc.)

Г. Расскажите о работе коммерческого центра.
(to hold negotiations, to buy and sell whole editions, to sign contracts, various forms of cooperation in publishing)

ДОПОЛНИТЕЛЬНЫЙ МАТЕРИАЛ

1. Россия: факты

Население России - 148.7 миллионов, из них женщин - 53% , мужчин - 47% .

В Центральной Азии проживает около 55 миллионов бывших советских граждан, этнически очень разнородное° население. — heterogeneous

Процент больниц без горячей воды в бывшем Советском Союзе - 60% .

Процент больниц без водопровода,° центрального отопления° и канализации° - 30% . — plumbing; heating; sewage

Процент предприятий с руководительницами-женщинами - 6.5% .

Процент врачей-женщин - 66% .

Годы, когда в России господствовал коммунистический режим - 74.

Процент русского населения на территории России - 81.5% .

На первом месте по экспорту из России - Европа, после неё Азия, затем Америка.

Процент школ с компьютерной лабораторией: 37%

Процент рождаемости у незамужних женщин - 11.2%.

Число абортов на 100 рождённых - 134.2.

Рост цен в 1992 году - 400-1000% .

Рост инфляции в 1992 году - 20% в месяц.

2. Положение женщины после перестройки.
Равноправие° полов было официальной идеологией Советского блока. Женщины были широко представлены в низших эшелонах органов партии и правительства. Внося свой вклад в экономику, они получали основные льготы, например бесплатное медицинское обслуживание, продолжительный оплачиваемый декретный отпуск,° субсидии по оплате дошкольных учреждений для детей и бесплатное обучение детей в школах.

equality; maternity leave

Экономическое положение в стране усиливает падение рождаемости.° Рост безработицы° способствует вынужденному° возврату женщины к хранению семейного очага,° около 70% всех зарегистрированных безработных–женщины.

birth rate; unemployment; forced
hearth

Распространение° в последние годы целой индустрии порнографии привели к деморализации городского и сельского женского населения. Опросы° показали, что валютная проституция является ведущим пунктом в опросе школьниц о желаемой профессии.

dissemination
polls

Аборты° разрешены в России, но возникает обратная проблема, так как часто аборт является методом контроля над рождаемостью. По статистическим данным, в советское время в течении жизни в среднем женщина имела около 7 абортов.

abortions

В Казахстане, одной из бывших исламских республик, наблюдается переход к полигамии. В Узбекистане, где население считается самым бедным из всех бывших республик, открыто практикуется продажа невест.°

brides

В то же время появляются официально зарегистрированные феминистские организации. Многие из них ставят своей задачей не допустить, чтобы при вновь возникшей демократии положение женщины ухудшилось. Ежегодно усиливаются связи таких организаций с их коллегами за границей и проведение международных форумов и встреч.

3. Источники информации

В связи со стремительным развитием связей с бывшим Советским Союзом после падения железного занавеса° появилось большое количество периодических изданий, которые можно подразделить° на издания с общей информацией и специализированные издания. Информационные справочники приводят адреса и контактные телефоны подобных изданий.

iron curtain
divide

Среди деловых публикаций, сделанных в сотрудничестве с российскими журналистами и издателями, наиболее известными являются ежедневный *Коммерсант*, ежемесячный журнал *Деловые Люди*, еженедельный бюллетень *The Moscow Times International Edition*.

Среди изданий с общей информацией примером русско-американского сотрудничества является газета *Нью-Йорк Таймс, We/Мы, Московские Новости*.

Среди художественно-публицистических изданий выделяется журнал *Столица*, выходящий еженедельно в Москве.

Коммерческая реклама

Урок 6

УСТНАЯ ПРАКТИКА

Реклама является одним из видов деловых контактов и роль рекламы на рынке стран Содружества всё более возрастает.° — increasing

Реклама существовала и в Советское время, но была редкой, сдержанной,° и не имела агрессивно коммерческой направленности.° Советская реклама была более похожа на объявления° и часто имела противоположный желаемому эффект.

reserved
purpose, goal
announcements

Ситуация резко изменилась и сейчас рекламу показывают по телевидению, передают по радио, печатают во всех газетах и журналах. Рекламой пользуются западные фирмы и местные° вновь возникшие предприятия и организации.

domestic

Характерными особенностями стиля рекламы являются:

- короткие фразы
- обращения
- речевые стандарты
  например: ещё не поздно присоединиться к нам; пользуйтесь нашими услугами; помните, наши услуги обойдутся° вам дешевле; пишите, мы ждём вас
- номера и числа в рекламе пишутся цифрами
  например: сроки обучения—1 месяц, 3 месяца, 5 месяцев, пишите: 123567 Москва, а/я 86 телефон: (095)258-1907; стартовая стоимость—150 тысяч рублей; цена одной акции—1 тысяча рублей, распространяются пакеты по 20 акций
- реклама печатается разными шрифтами для привлечения внимания
- особое построение° предложений для усиления смысла
- восклицательные° предложения по интонации

cost
construction
exclamatory

Другим образцом рекламного характера являются брошюры компаний. Они обычно не имеют агрессивной коммерческой направленности, заключают в себе больше информации и имеют более традиционный публицистический стиль. Практически они представляют собой следующую ступень рекламы и содержат ответы на вопросы, возникающие, например, после чтения обычной газетной рекламы.

to distribute

Брошюры делаются на языке страны, где их предполагают распространять.° Допускается писать название фирмы на иностранном языке, хотя такие известные фирмы как Кока-Кола, Пицца Хат, Макдональдс, Баркс используют для рекламы названия на русском языке.

ДИАЛОГИ

Представительство фирмы ГТ Лтд. в Москве, звонок по телефону:

Ольга: Фирма ГТ Лтд.

Агент: Здравствуйте, вас беспокоит Московская Информационная Служба. Мы составляем справочник иностранных представительств и предлагаем вашей фирме составить краткую справку° о деятельности фирмы.

short description

Ольга: Спасибо за предложение. У меня к вам два вопроса: Сколько стоит поместить это объявление, какова форма оплаты° и есть ли у вас факс?

form of payment

Агент: Номер факса 278-2527, оплата принимается в валюте и рублях, и зависит от объёма. У нас оплата за четверть страницы, половину страницы или полную страницу.

Ольга: Будьте любезны, пошлите нам по факсу ваш прейскурант.

Агент: Хорошо.

Ольга: Спасибо.

Агент: Спасибо и вам.

Юрий: Ольга, вы знаете, что такое ПМЖ?

Ольга: ПМЖ, что-то мне раньше не встречалось. Что же это такое?

Юрий: Представьте себе увидел в объявлении следующего содержания: *Помогите уехать на ПМЖ на Запад. Оплата в СКВ.°* — convertible currency

Ольга: Теперь понятно, ПМЖ — это постоянное место жительства.° А что ещё было интересного в объявлениях? — permanent residency

Юрий: "Новое издание — *Как избавиться от жуликов° и мошенников.°* Подробности° по телефону ..." — swindlers; scoundrels; details

---

Джон: Сегодня в одной газете я насчитал более тридцати объявлений, предлагающих *определители подлинности° долларов США.* Интересно что это за аппарат? — authenticity

Юрий: Вполне возможно, что их более тридцати видов.

Джон: Тогда мы могли бы составить каталог и предлагать их на экспорт с надписью° "Made in Russia." — inscription

---

Джон: Ольга, вас как любителя новых слов хочу порадовать. *Прайс-листы* и *оферты°* переживают второе рождение в русском языке. — offers

Ольга: У меня тоже для вас новость: теперь дать объявление мы можем, заполнив отрезной купон° и послав его в редакцию. Объём объявления исчисляется знаками, за один знак считаются БУКВА, ЦИФРА, ПРОБЕЛ, ТОЧКА, ЗАПЯТАЯ, ДЕФИС, ТИРЕ и т.д. — detachable coupon

Джон: Тогда нам срочно следует дать объявление, что имеются для продажи более тридцати видов определителей подлинности долларов США.

Ольга: Оплата, конечно, только в СКВ.

Джон: Только в долларах США. А кстати, я читал в одной статье, что в Россию заброшено около миллиарда фальшивых° долларов США стодолларовыми банкнотами.° — false; banknote

ЗАДАНИЯ

1. Составьте словосочетания со следующими словами, которые по стилю подходят для рекламного объявления:

wastes, by-products
used
real estate
sale, sell-off
mark-down; discount

получить кредиты, торговый оборот, экспортно-импортные поставки, отходы° производства, товары широкого потребления, экспортировать, экспортные возможности, импортные производственные линии, доля, поставщик, подержаные° автомобили, недвижимость,° переработка сырья, кооперационные связи, центр технического обслуживания, промышленно-коммерческая компания, распродажа,° уценка,° скидка°

2. Используйте для составления рекламного объявления следующие выражения:

annual (return)

Хочешь быть богатым? Будь им.
Низкие цены на импорт — высокие на экспорт.
Сотрудничество с нами — путь в международный бизнес.
Зачем тратить деньги на посредников?
Приходите к нам!
Это и многое другое вы найдёте у нас.
Мы всегда первые!
Высокое качество товаров и услуг.
Карта услуг всегда на вашем столе.
Сделайте выбор по нашим образцам.
120% годовых!°

ВНЕКЛАССНАЯ РАБОТА

1. Ответьте на вопросы.

А. Какова роль рекламы в бизнесе?

Б. Изменилась ли ситуация с рекламой в СНГ и почему?

В. Какие характерные особенности рекламного стиля вы знаете?

Г. Перечислите образцы рекламы, которые вы знаете?

Д. Представьте, что вы управляете западным рекламным агенством в Москве. Каковы основные направления вашей деятельности?

Е. Каково отношение к рекламе в России и у вас в стране?

2. Прочтите краткое деловое письмо и составьте письменный ответ, сообщая краткие данные рекламного характера о вашей фирме или торговой организации.

Уважаемые господа!

Фирма АО "Инвест-Сервис" приглашает Вас к сотрудничеству. Наша фирма занимается брокерскими и дилерскими операциями в СНГ и за его пределами и имеет отработанные° связи с крупнейшими биржами и производителями Содружества.

established

Свяжитесь с нами! Мы всегда готовы помочь в поисках° необходимой Вам и Вашим клиентам экспортной продукции, а также реализации° импортной.

search
sale

В качестве основы нашей возможной совместной работы предлагаем вашему вниманию товары, на реализацию которых наша фирма имеет исключительные° права.

exclusive

1. Бумага офсетная
Марка - № 2
Количество - 2000 тоннов
Цена - $450/тонна
Общая сумма сделки - $900,000
Форма оплаты - СКВ
Базис поставки - ФОБ Москва
Срок поставки - 2 неделя после поступления средств на наш счёт

Имеется документальная гарантия правительственных органов на получение экспортной лицензии при предоставлении сертификата конечного пользования. Сертификаты на прелагаемую марку прилагаются.

Очень надеемся получить от вас какой-либо ответ на наши предложения в ближайшие десять дней.

С уважением,

Иванов, М.И.
Генеральный директор

3. Составьте рекламные заметки для отдела объявлений, используя следующие слова и словосочетания:

assembled; consumables; retail

mutually-advantageous

брокерская контора, внутренний рынок, поставки товаров/продукции, фиксированный налог, бухгалтерский учёт, акции, оформление банковского счёта, оборудование офиса, широкий выбор комплектую-щих° и расходных° материалов, продавать товары в розницу,° богатый ассортимент, товары широкого потребления, предприниматель, совместная реализация, взаимовыгодные° условия, сервисные услуги, инвестиционные проекты, различные области экономики, принимать заказы, инвестиционно-финансовая компания, 100 процентов годового дохода, технологический концерн, все виды коммерческих операций, проведение расчётов по экспорту и импорту, респектабельность, надёжность, компетентность, благополучие, надёжный финансовый партнёр.

4. Переведите на английский язык и поместите составленные вами заметки под рубрики, встречающиеся в русской прессе:

СРОЧНО	ПРИГЛАШАЮ
ПРОДАЮ	УСЛУГИ
КУПЛЮ	ОБУЧЕНИЕ
МЕНЯЮ	СПОНСОРЫ/ИНВЕСТОРЫ
ФОТО	ОБОРУДОВАНИЕ
ИЩУ РАБОТУ	ОРГТЕХНИКА
КВАРТИРЫ/ДОМА	СТРОЙМАТЕРИАЛЫ
СДАЮ	ДАЧИ/УЧАСТКИ
РАДИОТЕХНИКА/ ЭЛЕКТРОНИКА	ТРАНСПОРТНЫЕ СРЕДСТВА
ГАРАЖИ	ЗАПЧАСТИ
БЫТОВАЯ ТЕХНИКА	КОМНАТНЫЕ РАСТЕНИЯ
ВСЁ ДЛЯ ДЕТЕЙ	МЕДИЦИНА
НАУКА И ИСКУССТВО	КНИГИ И ЖУРНАЛЫ
	ОДЕЖДА
МУЗЫКА/ ИНСТРУМЕНТЫ	СПОРТ/ХОББИ
	ОБУВЬ
ДОМАШНИЕ ЖИВОТНЫЕ/ ПРЕДМЕТЫ БЫТА	СЕЛЬСКОЕ ХОЗЯЙСТВО/ САДОВОДСТВО

5. Выполните задания.

А. Представьте, что вы издаёте газету объявлений и рекламы в своей стране. Какие советы вы можете дать своему российскому коллеге?

Б. Если бы вы могли изменить в рекламной индустрии всё, что бы вы сделали?

В. Учитывая национальную специфику, что бы вы сделали в сфере рекламы в России?

Г. Перечислите русскоязычные издания, в которых вам встречается реклама и объявления.

6. Обратите внимание на сокращения, часто используемые в коммерческой рекламе.

а/я - абонентский ящик° — P.O. Box
н/п - наложенным платежом° — C.O.D.
а/м - автомобильные
з/п - загранпаспорт° — foreign passport
а/двигатель - автомобильный двигатель
э/питание - электропитание
н/р - наличный расчёт° — cash payment
р/с - расчётный счёт° — checking account

7. Прочтите объявления. Выучите значение выделенных слов.

Финансово-промышленная группа
ФИНБОР

Все виды операций с недвижимостью° и регистрации: — property

- купим Вашу квартиру
- полная юридическая и нотариальная° поддержка — notary
- продадим квартиру
- ускоренная° регистрация компаний в зонах с льготным налогоблажением° — swift, taxation
- налоговые и банковские консультации

телефон/факс: 979-9999
адрес: а/я 354, Светогорск 134576

Акционерное общество
КОММОН
предлагает:

Контрактные продукты питания за СКВ и рубли:

Концентрориванный суп,° 420 г нетто 0,44 USD/шт. **Мясные консервы**, 500 г нетто 0,52 USD/шт. **Фасоль° белая** консервированная, 800 г нетто 0,800 USD/шт. **Цыплёнок** с рисом, 300 г нетто 0,37 USD/шт. **Томатный соус** "Кетчуп", 250 г нетто 0,33 USD/шт. **Куриные ножки**, в упаковке, 1000 г нетто 550 USD/тонна.

Объёмы поставок могут быть *неограниченными* в номенклатуре° по заказу покупателя.

Условия платежа:° предоплата в рублях или СКВ по курсу Всероссийского Биржевого Банка на момент поступления денег на р/с продавца или выставления аккредитива.°

Базис поставки: в зависимости от желания покупателя определяется во время переговоров.

Условия доставки:° отгрузка товара может быть: осуществлена° железнодорожным транспортом—стоимость из расчёта 0,01 USD за 1 кг.; автодорожным транспортом—стоимость из расчёта 0,2 USD за 1 кг.; морем—контейнер—стоимость из расчёта° 2500 USD за 20-футовый контейнер, 3500 USD за 40-футовый контейнер.

beans
assortment
payment terms
letter of credit
delivery terms
effected via
at the price of

ДОПОЛНИТЕЛЬНЫЙ МАТЕРИАЛ

1. Оборудование для офиса
Сервисные услуги в этой области препринимательской деятельности развиваются достаточно стремительно.°

swiftly

Например, предлагаются следующие услуги:

Фирма выполняет под ключ° весь комплекс инженерно-строительных и отделочных° работ на небольших объектах. | turn-key; decorative

Фирма занимается разработкой проекта реконструкции, новым строительством, а также внутренним дизайном, интерьером и отделкой.

Фирма выбирает и поставляет мебель, электрооборудование, светильники,° кухонную технику, холодильники, привлекает субподрядчиков.° Расценки° на услуги зависят от объёма работ. | lights, lamps; subcontractors; prices

Фирма предлагает мебель для офисов, которая повысит вашу производительность:° функциональные столы для руководителей, письменные столы, специальная мебель под компьютеры, пишущие машинки, компактные и ёмкие стеллажи,° вентиляторы и кондиционеры. | productivity; shelving

Фирма обеспечивает самый качественный ремонт и создание интерьера в любом стиле. Монтаж охранной сигнализации° международного класса для офисов, банков, складов, частных квартир. Мягкая мебель по образцам и индивидуальным заказам. | alarm system

Фирма предлагает вам заполнить бланк-заказ, и оборудование будет доставлено к вашей двери: компьютеры, принтеры, ксероксы, дисплеи и многое другое. Последняя новинка: телефонные аппараты с кнопочным номеронабирателем,° памятью и повторным автоматическим набором последнего номера. | push-button

2. Визит в магазин, предлагающий компьютерную технику.

Менеджер магазина сказал, что девиз° их фирмы: Вы только подумаете, а мы уже предлагаем! | motto

В ассортименте их товаров такие приспособления,° как модемы, защитные фильтры, сканеры ручные, тонеры, картриджи. Помимо этого, они оказывают° услуги по заправке° картриджей для копировальных автоматов и лазерных картриджей. Ольга спросила у | devices; provide; refill продавца: Скажите, а продаёте ли вы расходные материалы?

Продавец-консультант ответил, что они предлагают полный комплект расходных материалов, програмные продукты, дискеты, ленту для пишущих машинок, термобумагу и мини-сейфы для дискет.

В дальнейшем, сказал менеджер магазина, они планируют печатать на заказ визитные карточки и бланки для организаций.

Посетители поблагодарили работников магазина и сказали, что воспользуются их услугами в случае необходимости.

3. Визит в представительство фирмы ГТ Лтд.
Ольга знакомит Дашу, нового администратора, с офисом.

Они входят в небольшую приёмную, где размещается письменный стол, ксерокс, компьютер, два кресла и напольная° лампа. Ольга говорит Даше, что эта комната будет её рабочим местом и показывает ей кабинеты Джона, Юрия и свой.

table-top

Также Ольга показывает стеллажи, где стоят папки с деловыми бумагами. Корреспонденция подшивается° в папку по предметному или хронологическому принципу.

file

В шкафах, продолжает объяснять Ольга, находятся канцелярские принадлежности.° Вот здесь у нас бумага, ручки, карандаши, папки, скоросшиватели,° скрепки,° блокноты,° бланки, конверты, наклейки с обратным адресом фирмы, коробки° для отправок образцов, квитанции° почтовых экспресс-служб, печати и штампы.

office supplies

folders; staples; pads

boxes; receipts

В письменном столе Даши хранятся марки и касса для экстренных наличных расходов.°

petty cash

Даше офис показался уютным и понравилось, что в кабинетах большие окна и стоят цветы. Она сразу же приступила к работе.

4. Помещение под офис

Найти в Москве помещение под офис–задача не такая трудная. Гораздо труднее найти помещение под офис, соответствующее западным стандартам.

Основными требованиями к помещению со стороны западных бизнесменов являются его транспортная доступость, желательно наличие автостоянки,° возможность обеспечения всех коммуникаций, наличие санузлов,° электроэнергии и водоснабжения.° Обычно стены в рабочих помещениях красятся в нейтральные цвета и используются лампы дневного света, так как они экономичнее.

parking lot
sanitary necessities
water supply

При заключении контракта об аренде помещения желательно обеспечить его монтаж и обслуживание.

Большое количество западных фирм реконструируют здания в центре Москвы с тем, чтобы сдавать° их под оффисы. Многие из них заключают лишь долгосрочные° контракты с условием выплаты значительной части арендной платы заранее.

rent
long-term

Лексические неологизмы

Урок 7

УСТНАЯ ПРАКТИКА

Каждая эпоха обогащает° язык новыми словами. В периоды наибольшей активности в общественно-политической и культурной жизни нации приток° новых слов особенно увеличивается. Освоение° в языке новых слов происходит по-разному — некоторые быстро получают признание и входят в активную лексику, другие, пройдя проверку временем, не приживаются.°

enriches
flow
assimilation
take root

Слова, созданные в советскую эпоху и закрепившиеся в языке, называют *советизмами*. Когда-то они были неологизмами, а сейчас превращаются в архаизмы, то есть устаревшие слова, и постепенно уходят из активной лексики языка (например: колхоз, комсомол, комиссар, партбригада).

Это связано с тем, что уходят из повседневной° жизни явления, которые они обозначали. Вместо них появляются новые и возникает необходимость в новых словах. Новые слова отражают изменения в составе и свойстве предметов и явлений объективного мира, в общественной деятельности человека и работе человеческого сознания. (например: видеобум, вибродиагностика, телетайпировать, электротренажёр, вещемания, широкомасштабно, автоответчик, бас-гитарист, бардачок).

daily

Использование неологизмов в речи иногда вызывает трудности, так как грамматические характеристики таких слов к моменту их употребления могут не вполне определится.

В настоящее время новые слова появляются почти ежедневно и становятся активной лексикой в деловом словаре русского языка. (например: трансферт, конверсия,° аккумулировать, база данных).°

conversion
data base

КОММЕНТАРИИ

is subject to

Как правило, правописание неологизмов зависит от метода их образования и подчиняется° общим правилам.

Бывают случаи, когда неясно как ставится ударение в новых словах и часто существуют несколько вариантов до тех пор, пока не установится единая норма (например: маркéтинг, мáркетинг) Также может встречаться разное правописание, до тех пор пока не будет установлена норма (например: оффшорные, офшорные). Единая норма устанавливается Институтом русского языка при Академии Наук и печатается ежегодно в *Справочнике новых слов*.

ДИАЛОГИ

Джон Грин и его ассистентка Ольга собираются посетить Большой театр. Они решили поехать на метро.

forms of address

Джон: Интересно, какими обращениями° пользуются теперь в России? Давайте прислушаемся в метро.

Ольга: По-моему, "товарищ" я уже давно не слышала.

Джон: Наверное, "господин" будет теперь самым популярным. За те несколько дней, что я в Москве, я всё время слышу "господин." Почему-то гораздо реже в повседневной жизни употребляется "госпожа." А как бы вы хотели, чтобы к вам обращались?

Ольга: "Госпожа" меня вполне устраивает. Это гораздо приятнее распространенного в советское время "гражданка." А вы знаете, что до революции 1917 года в различных социальных слоях существовали закреплённые традицией такие формы обращения, как "сударь—сударыня," "хозяин—хозяйка" а также романтическое "барышня."°

young lady

Джон: Вполне возможно, что все они теперь вернутся. Давайте запомним все обращения, которые мы услышим по дороге.

Джон: Ольга, вы знаете, что я просто не узнаю Москву, когда приезжаю в последнее время. Всё происходит как в машине времени на быстрой скорости.

Ольга: Я с вами совершенно согласна. Каждый день появляется столько нового и столько новых слов. Например, недавно стали общедоступными° кредитные карточки.° Сейчас уже по ним можно получить наличную валюту° в одном из коммерческих банков Москвы. А теперь владельцы карточек могут приобрести дорожные чеки.°

Джон: Меня больше всего поражает бурное развитие рекламы. Например вот эта: *Сделайте инвестицию в нашу фирму, и вас ожидает 200% годового дохода!°*

Ольга: А вы видели названия газет, которые сейчас выходят: *Бизнес Информ, Мегаполис Экспресс, Бизнесс для Всех, Коммерсант*, а кроме того свободно продаётся *Нью-Йорк Таймс* на русском языке.

Джон: А станции метро: Охотный ряд вместо Проспект Маркса, Китай-город вместо Кировская, Чистые Пруды, Красные Ворота. Всё меняется просто на глазах!

widely available; credit cards

hard currency cash

traveler's checks

annual return

Джон: А кстати, Ольга, будьте так любезны и поместите° объявление в одной из этих новых газет, что мы хотим принять на работу административного ассистента/ассистентку со знанием английского языка.

Ольга: Вы имеете в виду какую-то определённую газету?

Джон: Любую, по вашему выбору.

Ольга: Хорошо, а также я просмотрю объявления в новых иллюстрированных° деловых журналах.

place

illustrated

ЗАДАНИЯ

1. Ответьте на вопросы:

А. Как вы считаете, с чем связано появление большого количества новых слов в русском языке за последние годы?

Б. В каких сферах общественной деятельности по вашему мнению появилось большое количество новых слов?

В. Какие новые слова, появившиеся за последние годы, вы знаете?

2. Образуйте имена существительные от приведённых ниже прилагательных:

арендный, лицензионный, аукционный, торговый, спонсорский, консигнационный, балансовый, убыточный, прибыльный, залоговый, фирменный

3. Переведите образованные от прилагательных существительные на английский язык и запишите их.

4. Прочтите предложения и выучите выделенные слова:

shares; rate

А. Старое правило биржи гласит: *Стáрайтесь покупать акции° по очень низкому курсу,° а продавать по очень высокому.*

prospects
directly
financing

Б. Обратите внимание на перспективы° развития фирмы, от которых непосредственно° зависит рост доходов, и на её финансирование.°

invest

В. Чтобы уменьшить риск, вкладывайте° капитал в акции различных отраслей.

realized, received
real

Г. Только реализованные° прибыли являются подлинными° прибылями.

Д. Консультации специалистов кредитных институтов основаны на анализе рынка.

take into account
hard currency exchange rate

Е. В отраслях промышленности, ориентированных на экспорт должен учитываться° валютный курс.°

5. Выделите суффиксы с помощью которых образованы приведённые ниже существительные:

конкурент, конкуренция, агент, агенство, клиент, клиентура, корреспондент, корреспонденция, бухгалтер, бухгалтерия, таможенник, таможня

6. Переведите и выучите слова и словосочетания:

получить кредиты, экспортно-импортные поставки, экспортировать, товарный дефицит, подержанные автомобили, кооперация, промышленно-коммерческая компания, начальный капитал, регистрация, упаковочный материал, страны третьего мира, текущая иномарка, вторсырьё, клиентура, квартал, прейскурант, корпункт (корреспондентский пункт), дипномер (дипломатический номер), субподрядчик, торговый дом, расходные материалы, купон, банкротство, конкурент, экспертиза, результат, социальные коммуникации

ВНЕКЛАССНАЯ РАБОТА

1. Прочтите текст и перескажите его на русском языке: Выучите слова, приведённые после текста.

The word *exchange* has recently become extremely popular in Russia. The thousand or so exchanges that have sprouted in the last two years deal in a variety of products and commodities.

In most cases, exchanges are founded by major industrial enterprises in partnership with the local government, as a reaction to the collapse of the Soviet, state-controlled supply system. But the number of exchanges has grown so explosively because anyone with access to a large room and a couple of computers can make a ruble fortune as the 'founder' of an exchange.

Exchanges are regarded in Russia as one of the channels of wholesale trade. However, with the steady improvement of communications and the constant incentive to cut out the middleman, direct trade between enterprises and regions has started to put smaller exchanges out of business.

Some of the larger, more successful exchanges (i.e. Russian Commodity and Raw Materials Exchange, РТСБ) allow foreign investors to purchase shares and carry out many types of commercial and brokerage operations.

Слова и словосочетания:

биржа, ассортимент товаров/продуктов, товар/предмет потребления, товарный капитал, крупные индустриальные предприятия, партнёрство, возникновение,° дисинтеграция, экономические связи, государственные органы снабжения,° рассматривать, расценивать, оптовая° торговля, доля, акция, пай, привилегированные акции, участвовать в прибылях и убытках,° иностранные вкладчики, выполнять операции, посреднические, брокерские операции, торговая деятельность, показатели,° коммуникации, регион, основатель

emergence
supply
wholesale
losses
indicators

2. Прочтите и выучите значения следующих слов. Выделите заимствованные слова и неологизмы.

established

А. Валютный рынок—система устойчивых° экономических и организационных отношений по операциям купли-продажи иностранных валют.

promissory note
loan recipient

Б. Вексель°—письменное долговое обязательство определённой формы, выдаваемое заёмщиком° кредитору.

extra-balance account
assets; liabilities

В. Внебалансовый счёт°—счета, используемые для учёта ценностей и документов, не относящиеся к активам° и пассивам° банка.

intra-company transfer price
subsidiary
affiliate

Г. Внутрифирменная трансфертная цена°—вид цен, обусловленных коммерческими принципами взаимоотношений дочерних° предприятий, филиалов,° отделений фирм и используемый при внутренних поставках.

general system of preferences

Д. Всеобщая система преференций°—система таможенных льгот, предоставляемых развитыми странами развивающимся.

Е. Встречная торговля°—внешнеторговые операции, условия которых предусматривают встречные обязательства экспортёров закупить у импортёров товары на часть или полную стоимость сделки.° — countertrade; deal, operation

Ж. Гарант°—поручитель,° государство или учреждение, дающее в чём-то гарантию. — guarantor; trustee

З. Гиперинфляция°—исключительно быстрый рост товарных цен и денежных средств в обращении,° ведущей к резкому обесцениванию° денежной единицы.° — hyperinflation; circulation; devaluation; units

И. ГАТТ—Генеральное соглашение по тарифам и торговле, многостороннее международное торговое соглашение, регулирующее режим взаимной торговли и торговую политику° стран-участниц. — trade policy

3. Выучите слова из деловой сферы, которые употребляются только в мужском роде:

агент, президент, бизнесмен, директор, биржевик, предприниматель, оптовик, маклер,° посредник, брокер, бухгалтер, дизайнер, антрепренёр, профессор, доктор — broker

4. Образуйте существительные женского рода. Выделите суффиксы, использованные при образовании новых слов.

представитель, заведующий, руководитель, учитель, рабочий, секретарь, заместитель, продавец, массажист, аспирант, ассистент

ДОПОЛНИТЕЛЬНЫЙ МАТЕРИАЛ

1. Деловой жаргон в русском языке

В недавние времена, когда частное предпринимательство считалось преступлением и советский человек не владел по сути дела ничем, предприимчивые° люди сформировали свой чёрный рынок и пользовались определённой терминологией. По уровню употребления и назначению, эта терминология называется — enterprising жаргоном, и в какой-то мере была незнакома непосвящённым° в подобную деятельность.

Некоторые из этих выражений прочно закрепились в языке и продолжают употребляться в неофициальной, но деловой речи.

Приведём ниже краткий словарь жаргона, связанного с товарообменом и оказанием услуг.

артист - жулик
бабки, башли - деньги
баксы - валюта
вмазать - выпить
влипнуть - попасть в неприятность
гнать - говорить попусту° (to no purpose)
грины - доллары
деревянные - рубли
дура - пистолет, оружие
дрянь - марихуана
достать - надоесть° (to bore)
железно - точно
заливать - много говорить
замазать - дать взятку° (bribe)
завязать - закончить
засветиться - быть замеченным° (deserved)
зелёные - доллары США
кабак - ресторан
капуста - деньги
катя - 100 рублей/долларов
кукла - пачка° ненастоящих денег (stack, packet)
кинуть - обмануть,° обокрасть° (deceive; rob)
кент - приятель
кирять - пить спиртное
купиться - поверить
контора - милиция
котлета - крупная пачка наличных° денег (cash)
куш - крупная сумма денег
лекарь - обманщик
лечить - обманывать
лопух - доверчивый° человек (credulous)
лох - глуповатый° человек (somewhat stupid)
левый - фальшивый, неправильный
лапша (на уши) - неправда
мент - милиционер
ментовская - милиция
наколоть (кого-то) - пошутить° (joke)
отколоть (что-то) - удивить

отмазать - выручить° из неприятности | rescue
понт - напускная° важность | affected
понтовитый - важный
попасть - потерять деньги, потерпеть° убыток | suffer
прогореть - потерять прибыль
прокатить - обмануть
продинамить - подвести,° обмануть | undermine
прокол - ошибка
полтишок - 50 рублей
расколоться - проговориться° | let out a secret
соскочить - скрыться,° уехать | go into hiding
скинуться - внести деньги сообща° | jointly
быть на стрёме - охранять
торчать - получать удовольствие
фирмач - иностранец
фраер - неуважающий° себя человек | self-deprecating
флакон - бутылка водки
цацки - ювелирные изделия
целковый - рубль
шары катать - игра на билиарде
шишка - начальник
червонец - 10 рублей
четвертак - 25 рублей
чирик - 10 рублей

Многие из этих выражений встречаются в прессе и обычно носят стилистическую окраску.° В разговорной речи могут употребляться и в шутку, чтобы придать речи стилистическую окраску. | tint, coloring

Иноязычная лексика

Урок 8

УСТНАЯ ПРАКТИКА

В составе лексики русского языка около 10% слов иноязычного происхождения.° Всю иноязычную лексику можно разделить на группы в зависимости сфер её употребления. Нас интересует одна из этих сфер: общеупотребительные слова из области бизнеса и связанных с бизнесом науки, экономики, политики и культуры. Большинство таких слов не имеет синонимов с русским корнем и относятся к межстилевой, нейтральной в эмоционально-экспрессивном отношении лексике. Они используются в речи без всяких ограничений.

foreign language origin

В последнее время встречается очень много заимствований° в деловом словаре русского языка, многие из которых имеют синонимы с русским корнем. Однако сейчас в прессе существует тенденция отдавать предпочтение° заимствованиям. Иногда это неоправдано° и звучит стилистически неправильно.

loan words
preference
unjustified

Например: Наша фирма проводит консалтинг по любым вопросам.
Вместо: Наша фирма даёт консультации по любым вопросам.

В других случаях использование заимствований неизбежно и поэтому в любом контексте совершенно оправдано.

Например: Акционерное общество производит и реализует следущую продукцию: модемы (устройства° для связи между компьютерами), макинкеры (устройства для восстановления° лент матричных° принтеров без изьятия° ленты° из картриджа), тонеры (краска для восстановления красящей способности лазерных принтеров).

devices
repairing
matix; removal; ribbon

В данном случае ввиду того, что все слова являются вновь заимствованными, в скобках даётся их значение.

sectoral-specific

Подобные слова являются терминами. Они совершенно назаменимы в научном и публицистическом стиле. Издаются отраслевые° словари специальных терминов, по которым можно проверить их правописание и грамматические характеристики.

injections

Также допускается и использование иноязычных вкраплений,° сохраняя их нерусское правописание (например: alma mater, OK, USD).

Чтобы избежать характерных ошибок при употреблении заимствованных слов, важно использовать их в соответствии с точным значением.

КОММЕНТАРИИ

obtain

cease; stand out

Многие заимствованные слова постепенно теряют всякие признаки своего нерусского происхождения и приобретают° все характерные грамматические категории. Постепенно они перестают° выделяться° на фоне русской лексики и фонетически, и морфологически, и стилистически.

Некоторые сохраняют внешние признаки иноязычного происхождения, вместе с тем, они имеют несвойственное русскому языку звучание:

нерусские суффиксы (*техникум, студент, директор*)
нерусские приставки (*трансляция, конфигурация, антибиотики*)
некоторые из них не склоняются (*атташе, кино, пальто, кофе*)

ДИАЛОГИ

Звонок по телефону в представительство фирмы ГТ, Лтд.

З.: Скажите это офис какой фирмы?

Джон: Это фирма ГТ Лтд. Что мы можем для вас сделать?

З.: Пока не знаю. А чем вы занимаетесь?

Джон: Мы занимаемся экпортно-импортными поставками, бартерными сделками,° а также и розничной торговлей.°

З.: Извините за беспокойство, но я ищу совсем другое. Мне нужна фирма, которая может организовать лизинг консигнационного° склада.°

Джон: К сожалению этим мы не занимаемся. Всего хорошего.

barter operations
retail trade
consignment
warehouse, storage

Джон: Ольга, я заметил, что понимаю многие, незнакомые мне русские слова без словаря.

Ольга: Господин Грин, я совершенно с вами согласна. Все эти *брокер, инвестор, спонсор, компьютер, принтер, офис* и т.д. С другой стороны бывает, что и словарь не поможет, так как слово ещё в него не вошло и многие понимают его по-разному. Вот например скажите, что такое “делистинг?” Это что-то связанное с “listing,” но приставка “де”іносит противоположное значение, по аналогии, например, с “деморализация.”

Джон: Вы почти угадали, “делистинг”і- это процедура исключения из списка.

Ольга: Определённо, чтобы читать русские коммерческие газеты, надо по крайней мере знать английский язык.

В офисе фирмы ГТ Лтд. проводится совещание° по рекламе.

Джон: Я считаю, нам надо быть более активными в области рекламы. Посмотрите, что печатают наши конкуренты° в нескольких московских

meeting
competitors

slogan

similarity

газетах: *Консалтинг, Рейтинг, Маркетинг, Лизинг.* А послушайте этот лозунг:° *Брокер жил, брокер жив, брокер будет жить.*

Ольга: А вы не думаете, что сходство° с популярным в прошлом лозунгом оттолкнёт некоторых клиентов?

Джон: Почему же, используют старую форму, но дают новое содержание? Подумайте. Прошу всех представить меморандумы с предложениями по рекламе.

ЗАДАНИЯ

1. Приведите примеры слов иностранного происхождения из изученной нами деловой лексики.

2. Ответьте на вопросы.

А. Попробуйте объяснить причину заимствования деловой лексики из английского языка.

Б. От чего, по вашему мнению, зависит, останется ли заимствование в активной лексике русского языка?

3. Составьте пары синонимов из русских и заимствованных слов.

предложение	вояж
международный	депозит
залог	антрепренёр
предприниматель	импортный
изьятие	интернациональный
свидетельство	конфискация
иностранный	оферта
путешествие	сертификат

4. Прочтите текст приведённый ниже и выделите заимствованные слова. Подберите русские синонимы к заимствованным словам, когда это возможно.

Лоббизм в России

В сегодняшних условиях зарождающегося капитализма, внимание прессы часто привлекает тема лоббизма.° — lobbying

В годы Советского режима, лоббизм всегда связывался° с коррупцией. Теперь же всё чаще появляется мнение, что лоббизм есть форма отстаивания° интересов социальных групп и является частью общественно-политической жизни любого общества. — connected with; assertion

В странах с устоявшейся° рыночной экономикой, социальные группировки пытаются лоббировать свои интересы в законодательной области, лоббистские организации регистрируются и их деятельность может контролироваться. — well-established

Следствием° существовавшего в СССР законодательства касающегося частного предпринимательства является факт, что интересы предпринимателей не имеют никакого представительства в парламенте, а сами предприниматели являются фактически аутсайдерами. Это неудивительно,° так как ещё пять лет назад в жёстких рамках административно-командной системы, слова предприниматель и бизнесмен звучали° совсем не лестно.° — as a consequence; unsurprising; sounded; flattering

В настоящий момент обсуждается проект закона о лоббистской деятельности и как он отразит интересы предпринимателей.

5. Составьте краткие диалоги, используя следующие слова:

офис, клиент, бизнесмен, коммерческий, фирма, партнёр, импорт, стандарты, экспорт, каталог операции, экспонаты, бартерные сделки, техника компенсация, кредит

6. Дайте полные ответы на вопросы, используя представлены словосочетания.

Что такое прейскурант?
A list of merchandise with prices.

Что такое запрос?
An inquiry from a buyer to a seller which contains the terms of a sales contract.

Что такое твёрдое предложение?
An offer/proposal which contains special terms, such as shipping requirements or a limited time period when certain prices are valid.

Что такое свободное предложение?
An offer/proposal which contains no restrictions.

Что такое коммерческое предложение?
A quotation or offer, which provides descriptions of merchandise, prices, and the terms of a sales contract.

7. Переведите на русский язык.

A. In response to your request of November 5, 1992, we hereby confirm the validity of the price list attached herein.

B. We regret to inform you that we are unable to change the terms of this contract.

C. We guarantee your company exclusive distribution rights in this region.

D. We signed a preliminary agreement with this factory, which must now to be approved by our board of directors.

E. If all documents are approved, our joint venture will be registered by the end of October.

F. How long will it take for you to deliver the goods after we have ordered them?

ВНЕКЛАССНАЯ РАБОТА

1. Прочтите текст и напишите 5 вопросов к тексту.

Основными шагами в становлении рынка в России являются следующие: либерализация цен, приватизация и закон о банкротстве° предприятий.

bankruptcy

Быстрая приватизация невозможна, так как большинство предприятий продолжает носить монопольный характер. Единственным же следствием освобождения цен в данных условиях является их повышение.° — increase

Основным противовесом° свободных цен мог бы быть закон о банкротстве. Он также необходим и для развития конкуренции.° Очень часто сейчас существует следующая ситуация: предприятие имеет большую задолжность,° но не желает снижать цены. Рынок даже при свободных ценах остаётся рынком продавца.

counterweight
competition
debt

Неплатёжеспособность° фирмы не влечёт никаких последствий° для её руководства. Закон о банкротстве заставит предпринимателей реализовывать товар, чтобы выполнить° контрактные обязательства,° даже и при небольшой прибыли.

insolvency
consequences
fulfill, meet
contract obligations

2. Образуйте словосочетания типа существительное + существительное.

Пример: отгрузить товар → отгрузка товара

исполнять заказ
сократить срок поставки
подписать контракт
заключить договор
оформлять отгрузочные документы
снизить цены
повысить цены
уменьшить поставки
упростить формальности
использовать коммуникации
устранить неисправность
перечислить фонды
погрузить товары
подтвердить условия договора

3. Выберите статью из русской коммерческой газеты, прочтите и выпишите слова иностранного происхождения.

4. Составьте диалог “В кооперативном кафе,” используя заимствованные слова:

пицца, спагетти, гамбургер, веджибёргер, лазанья, кьянти, хот-дог, чедер, бифштекс, соус, десерт, кетчуп, чахохбили из кур, лобио, бастурма, шашлык, лаваш, аджика, кебаб, меню, прейскурант, счёт, метрдотель, официант, гриль, кредитная карточка

5. Переведите на русский язык.

to submit a bill, to transfer funds to an account, to present a draft contract, to return documents, to credit the amount of $5453, to write a memorandum, to send specifications, to make an offer, advanced payment, shipping documents.

ДОПОЛНИТЕЛЬНЫЙ МАТЕРИАЛ

1. Российское агенство международного сотрудничества и развития

Положение о Российском агенстве международного сотрудничества и развития[i] утверждено Правительством Российской Федерации 12 декабря, 1992 года, хотя обнародовано° было лишь в январе 1993 года.

promulgated

До этого существовал Комитет по иностранным инвестициям, который в основном выдавал свидетельства° о регистрации совместным фирмам и компаниям со 100% иностранным капиталом. На его базе и создаётся новое агенство, наделённое° самыми высокими полномочиями.

proof

endowed with

В Положении сказано, что агенство является Центральным органом федеральной исполнительной° власти Российской Федерации, осуществляющим государственную политику в сфере международного финансово-инвестиционного сотрудничества и координирующим связи с зарубежными правительственными и неправительственными° организациями в области консультационно-технического, гуманитарного и культурного сотрудничества...[i]

executive

non-governmental

Далее следует, что агенство будет принимать участие в формировании государственной политики по привлечению° иностранных инвестиций, включая займы и кредиты, и размещению российских инвестиций за рубежом.

attracting

Кроме этого, в функции агенства входит: экспертиза° инвестиционных проектов, разработка инвестиционного страхования, участие в работе по созданию экономических зон, координация международных инвестиционных торгов° на территории РФ, участие в операциях с государственными долговыми° активами и пассивами, включая их капитализацию.

examination
auctions
loan

Агенство также обеспечит деятельность своих представительств за рубежом. Заинтересованные российские министерства, ведомства,° предпринимательские структуры и общественные организации смогут пользоваться возможностями этих представительств.

departments

Агенство также будет представлять Российскую Федерацию на переговорах° по вопросам международного инвестиционного сотрудничества.

negotiation

Государственная регистрация предприятий с иностранными инвестициями также теперь переходит в ведение° Российского агенства международного сотрудничества и развития.

management

Российское агенство международного сотрудничества и развития является юридическим лицом, имеет печать с изображением° Государственного герба° РФ, реквизиты° и счета в банках, в том числе и валютные.

imprint
seal; properties

Финансовые термины и документы

Урок 9

УСТНАЯ ПРАКТИКА

Для лексики, используемой в финансовой сфере, характерно большое количество специальных терминов и частое использование слов в переносном° значении. Несмотря на происходящие в обществе изменения, финансовые термины не становятся на наших глазах архаизмами, однако появляется много новых слов. Также, как мы уже заметили ранее, появляются заимствованные синонимы русских слов.

figurative

Например:

вкладывать - инвестировать
залог - депозит
контролёр - аудитор

Также существует большое количество устойчивых словосочетаний, которые стали почти идиомами.

Например:

платёж против вручения документов°
наложенным платежом°
поставить на комиссию°
расчётный счёт (сокр. Р/С)
предъявить счёт за° ...
кредитовать счёт°
причитающаяся сумма°
авансовый платёж°

payment against documents; C.O.D.
to consign
submit an invoice for
credit an account
amount due
advance payment

Эти термины и идиомы используются в финансовых документах, договорах и финансовой корреспонденции. Чтобы избежать неточностей и ошибок, многие финансовые документы имеют стандартную форму бланков.

Бланки создают общепринятый стандарт и таким образом упрощают° работу финансовых учреждений.° Ошибки или исправления в некоторых финансовых документах могут сделать их недействительными.°

simplify
financial institutions
invalid

Существует словарь экономических терминов, который объясняет значение большинства из общепринятых терминов.

КОММЕНТАРИИ

В конце восьмидесятых годов, в результате вольного перевода терминологии международных стандартов, в употребление вошёл термин *учётная политика.*° Он не имел широкого применение на практике до начала этого года, когда он был закреплён в Положении° о бухгалтерском учёте и отчётности в РФ.

accounting policy
regulations

Учётная политика предприятия - это совокупность° конкретных методов и форм ведения бухгалтерского учёта,° объявляемая° предприятием исходя из общественных правил и особенностей своей деятельности. Это новое для Российской хозяйственной и учётной практики явление по мере его становления° и развития также отразится и на финансовой лексике.

totality
accounting; declared
formation

ДИАЛОГИ

Джон: Мэри, я видел в каталоге программу,° использование которой значительно упростит наш бухгалтерский учёт. Программа выполняет автоматизированное ведение журналов-ордеров, Главной книги° и составление баланса. По-моему, это то, что нам необходимо.

software
general ledger

Мэри: А она разработана для IBM-совместимых° компьютеров?

IBM-compatible

Джон: По-моему, да. А вот ещё другой вариант: система "Бухгалтер" - комплексная автоматизация бухучёта фирм среднего размера. Пожалуй, мы являемся фирмой среднего размера. А есть ещё и модификация для бухгалтера малой фирмы.°

small business

Мэри: Мне кажется, что в связи со сложными налоговыми постановлениями, нам нужно, чтобы программа проводила учёт всех видов начислений° и удержаний.° Тогда мы всегда сможем подвести баланс. Ведя бухучёт на

receivables; payables

компьютере, мы будем получать всю информацию без поиска документов.

Джон: А заодно нам это освободит время, чтобы систематизировать все документы хронологически,° а коммерческие предложения в алфавитном порядке° по названию фирмы.

Мэри: По-моему это прекрасная идея!

chronological
alphabetical order

Мэри: Скажите Джон, где вы храните текущие° контракты?

Джон: Многие из них путешествуют со мной в портфеле, так как я забываю их вынуть. Основные должны быть вот в этой папке на этой полке.

Мэри: Здесь также находятся и отгрузочные документы, и копии аккредитивов. Наверное целесообразно перенести все финансовые документы в мой офис, и постепенно я начну вводить всю информацию в компьютер. К следующему вашему приезду в Москву бухгалтерия будет действительно современной.

Джон: Пожалуйста, составьте список канцелярских товаров° и оборудования, которое нам необходимо, и я закажу его в Нью -Йорке.

Мэри: У меня хорошие новости! Теперь большую часть расходных материалов° и даже оргтехнику° мы можем приобретать здесь.

Джон: А как производится оплата?

Мэри: Оплата может быть в валюте или рублях, продажа производится по наличному расчёту или с предоплатой. Причём все товары доставляют прямо в офис.

Джон: Это действительно прекрасные новости. А, кстати, что такое "оргтехника"?

Мэри: "Оргтехника" - это организационная техника на современном деловом русском языке.

Джон: Тогда закажите, пожалуйста, необходимую оргтехнику и всё остальное. А кроме того мне очень нужны некоторые документы: *О временном импортном таможенном° тарифе Российской Федерации* и *О продаже экспортных квот.°* Вполне возможно, что их

current
office supplies
consumables
office equipment
customs
quotas

computer diskettes — можно где-то заказать на дискетах.° Узнайте, пожалуйста.

Мэри: Хорошо.

ЗАДАНИЯ

1. Ответьте на вопросы, переводя данные словосочетания.

А. Куда поступают экспортные пошлины?
...to the federal budget.

duties — Б. Когда экспортная пошлина° подлежит уплате?
...when goods are presented to customs control.

collection — В. В какой валюте происходит взимание° экспортных пошлин?
...in Russian rubles.

Г. На какие операции ставка экспортной
increased — пошлины увеличена?°
... on barter operations.

Д. Можно ли платить пошлину в СКВ?
... only with the permission of the Ministry of Finance of the Russian Federation.

Е. Какие средства подлежат обязательному
transfer; authorized — начислению° на счета уполномоченных° банков?
...foreign currency earnings from export operations or from sales made on the territory of Russian Federation.

2. Прочтите текст и задайте к нему 5 вопросов.

requests for payment; deducted

Установившейся практикой расчётов в России до сих пор было использование платёжных требований. Платёжными требованиями° продавец предъявлял покупателю счёт за выполненную работу или товары, и сумма списывалась° со счёта покупателя. Новым коммерческим структурам подобная практика была не выгодна, так как ограничивала их возможности анализа рынка. С 1 июля 1992 года система расчётов по платёжным требованиям была отменена, и ожидается, что наиболее широкое распространение получат аккредитивы и система авансовых платежей. Аккредитивы уже давно стали одной из самых распространённых форм в международной торговле.

3. Составьте письма, используя слова и словосочетания.

настоящим сообщаем, касательно, оплатить, счёт на сумму, условия платежа, расходы по отправке, договор, поставщик, доставка груза, контракт, возврат указанной° суммы, предоплата, установившаяся практика, аккредитив, открыть безотзывный аккредитив°

indicated

irrevocable letter of credit

4. Прочитайте и объясните значение выделенных слов.

Законодательные меры стимулирования экспорта

А. Государство предоставляет налоговые льготы,° берёт на себя гарантии экспортных кредитов, использует двухсторонние° и многосторонние экономические соглашения.

tax privileges
bilateral

Б. Наиболее эффективным средством является гибкое° регулирование таможенных тарифов. Глобальным мировым торгово-политическим механизмом является ГАТТ (генеральное соглашение по торговле и тарифам).

flexible

В. В законодательном порядке принимаются ограничения (квоты) на ввоз зарубежных товаров и услуг, стимулируя национальное производство заменителей° импорта.

substitutes

Г. Создаются специальные налоговые льготы для тех корпораций, что сталкиваются° с жестокой иностранной конкуренцией.

meet with

5. Переведите предложения на русский язык используя слова:

в размере..., стоимостью в..., на сумму в..., на стоимость..., цена на..., коммерческая собственность, частные руки, ваучер, обменный курс, лицевая стоимость°

face value

A. The Russian government plans to transfer $90 billion in commercial property into private hands.

B. Privatization vouchers, with a face value of 10,000 rubles each, will be issued to every man, woman and child in the country.

C. The vouchers may later be worth several times their face value.

D. The value of 10,000 rubles, at the current exchange rate, is less than $20.

E. The price of diesel fuel is nearly R80,000 per ton.

6. Переведите на английский язык и составьте предложения.

иностранная конкуренция, источник дохода, конгломерат, самофинансирующееся предприятие, дорожные чеки, перевести на счёт, конвертация, заморозить средства, валютный рынок, вексель, встречная торговля, гиперинфляция, производить платежи, возместить расходы, оценочная стоимость, отзывный/безотзывный аккредитив, сохранять силу, встречная стоимость, ваучер (приватизационный чек)

7. Опишите деятельность вашей фирмы используя слова и выражения:

товарооборот растёт год от года, половина объёма торговли приходится на, номенклатура экспортных/импортных товаров, поставлять, удовлетворить спрос,° партнёр по торговле, тенденция развития торговых связей, дополнительные расходы, пробная партия,° снижать цены, иллюстрированный каталог.

satisfy demand

test shipment

8. Пользуясь активной лексикой этого урока и данными из анкеты в Уроке 1, расскажите о финансовых операциях, проводимых вашей фирмой.

9. Основываясь на вашем опыте международной торговли, какие советы вы хотели бы дать начинающему бизнесмену.

ВНЕКЛАССНАЯ РАБОТА

1. Перескажите на русском языке, используя слова приведённые после текста. Составьте письменно 5 вопросов к тексту.

Letters of Credit

Letters of credit (L/C) are important instruments which facilitate payment for goods in world trade. They are governed by instructions adopted and published by the International Chamber of Commerce.

An L/C, by definition, is a conditional undertaking by the issuing bank to pay a certain amount of money to a person or another bank when and if the stipulations made in the L/C are met within the period of time specified by the L/C. It is important to note that an L/C is an arrangement between banks on behalf of the buyer and seller, not a direct arrangement between the buyer and seller.

The purpose of the L/C is to provide a measure of security for both the buyer and seller.

An L/C can be revocable or irrevocable. If the L/C is revocable, the buyer can request that credit be withdrawn at any time. If the L/C is irrevocable, the credit may not be withdrawn. The revocable credit provides no security for the buyer, thus most buyers insist on an irrevocable L/C.

Letters of credit can be issued in any freely convertible currency.

Слова:

платёж, аккредитив, принять, мировая торговля, определённый период времени, покупатель, продавец, кредит, отзывный, безотзывный, настаивать (на),° свободно конвертируемая валюта, предоплата, гарантийное письмо, потребовать, затребовать, закрыть кредит, документальные требования, от лица, от имени, договорённость, обеспечивать безопасность

insist on

2. Переведите и перескажите текст на русском языке, пользуясь словами и словосочетаниями, приведёнными после текста.

Accounting for differences

If you are hiring an accountant or filling out financial documents, or if you are considering investing in a Russian company or researching financial information about a company, it is useful to know that the accounting system established in the former Soviet Union (and which continues in large part to this day) is significantly different from that which exists in Western countries.

The Soviet accounting system was designed to meet the needs of a centrally-planned economy. Of particular note is that, under "socialist" style accounting, revenues were recognized only when cash was actually received, while expenses were noted when payments were accrued. This system made it difficult to determine actual profits (as we know them) for a certain period of time. Most Soviet-style accounting was just tabulation of production figures and reconciling banking operations.

Since there has not been a demand until recently for professional accountancy skills (based on international accounting standards), there is an understandable shortage of qualified personnel. Some new private firms have begun to meet this shortage by offering accounting services under contract. Even so, it will still be some time before the supply of accountants in Russia can keep up with the demand.

Слова и словосочетания:

инвестировать, финансовая информация, методы бухгалтерского учёта, контролёр, аудитор, вне-финансовая, большой процент, быть специально обученным бухгалтером (быть бухгалтером по образованию), доход, статьи° дохода, расходы, платежи, наросшие° проценты, произведённые платежи, несоответствие, доход, заработок, приход, внутренняя расчётная система, привлечь иностранный капитал, правительственные постановления,

item; accumulated, accrued

3. Переведите вопросы и ответьте на них, используя написанные слова.

What is commercial invoice?
...счёт, являющийся финансовым документом, и предъявляемый продавцом покупателю.

What does it contain?
...название организации или имя, адрес покупателя и продавца, дату, описание товара и цену.

Does it have any credit information?
...номер контракта или заказа.

Does it state terms of sale?
...содержать условия продажи, определённые в аккредитиве.

What are the most common terms of sale?
...ФОБ, СИФ.

ДОПОЛНИТЕЛЬНЫЙ МАТЕРИАЛ

1. О налоге на рекламу

Государственная налоговая инспекция (ГНУ) г. Москвы выпустила инструкцию от 21 декабря 1992, *О порядке исчисления и уплаты налога на рекламу в городе Москве.*

Среди приводимых в инструкции общих положений есть следующие:

• Рекламой считается любая форма публичного представления товаров, работ, услуг через средства распространения информации.

Подобная формулировка не учитывает° направление в рекламе, исключающее представление товаров, работ и услуг, в то время, как достаточно было бы продемонстрировать° фирменный знак° на экране и дать координаты фирмы, чтобы избежать уплаты налога.

• Юридическое и физическое лицо, осуществляющее изготовление° рекламы по заявке рекламодателя,° именуется рекламоизготовителем,° а размещающего указанную рекламу-рекламораспространителем.°

• Облагаются налогом расположенные на территории Москвы предприятия и организации, имеющие статус юридических лиц, иностранные юридические лица, подразделения° и филиалы,° имеющие отдельный баланс, а также физические лица, зарегестрированные в

take into account
demonstrate; logo
preparation
advertiser
ad preparer/agency
ad distributor
subdivisions
affiliate; branch

качестве предпринимателей и осуществляющие деятельность в пределах города.

• Не облагаются налогом услуги по рекламе, не преследующие коммерческие цели, включая рекламу благотворительных° мероприятий.

charitable

• Ставка налога на рекламу устанавливается в размере 5% от стоимости рекламных работ и услуг у рекламодателя.

2. Подоходный° налог с граждан

income

Действующий закон о подоходном налоге был принят 1 января 1992 года. Изменения были внесены в декабре 1992. В соответствии с ним, плательщиками° налога являются граждане Российской Федерации, иностранные граждане, лица без гражданства, имеющие или не имеющие постоянное место жительство° в РФ.

payors

permanent residence

Физические лица, имеющие постоянное место жительства в РФ, платят налог с доходов, полученных как на территории РФ, так и за её пределами.

Физические лица, не имеющие постоянного места жительства в РФ, платят налог с доходов, полученных на территории РФ. Ставки налогообложения имеют прогрессивный характер и предусматривает уменьшение по нескольким основаниям.

до 200 000 рублей в год - 12%
от 200 001 до 400 000 рублей - 20%
от 400 001 до 600 000 рублей - 30%
свыше 600 000 рублей - 40%

Налогоплательщики РФ будут заполнять налоговые декларации, а предприятия посылать соответствующую информацию, на основе которой налоговые органы будут уточнять° размеры налоговых обязательств граждан.

specify, clarify

Доход в валюте пересчитывается в рубли по курсу Центрального Банка России. Уплата налога может производится как в рублях, так и в валюте, покупаемой Центральным Банком России.

3. Просмотрите документы, исползующиеся в современном финансовом практике.

А. Подготовьте доклад на правлении предприятия по данному отчёту.

ОТЧЁТ О ПРИБЫЛЯХ И УБЫТКАХ

за 1992 г.

Форма № 2-сп по ОКУД 775120
Дата (год) 1992
Предприятие ГТ Лтд. по ОКПО 283654
Отрасль (вид деятельности) посредничество по ОКОНХ 19320

1. ФИНАНСОВЫЕ РЕЗУЛЬТАТЫ

Наименование показателя	Код стр.	Прибыли (доходы)	Убытки (расходы)
Выручка (валовый доход) от реализации продукции (товаров, работ, услуг)	010	874,5	--
Налог с продаж	020	--	10,9
Налог с оборота	030	--	--
Издержки производства (обращения)	040	--	1311,4
в том числе:			
производственная себестоимость	041	--	1311,4
внепроизводственные расходы	042	--	--
Прибыль (убыток) от реализации	050	223,9	
Прибыль (убыток) от прочей реализации	060	--	--
Доходы и расходы от внереализационных операций	070	--	0,5
в том числе			
доходы по ценным бумагам и от участия в других предприятиях	071	--	--
доходы и потери, связанные с изменением курса валют	072	--	0,5
Итого прибылей и убытков	080	1098,4	--
Прибыл (убыток) отчётного года	090	--	224,4

Б. Заполните акт инвентарзации.

АКТ №____________

инвентаризации наличия денежых средств

К началу проведения инвентаризации все расходные и приходные документы на денежные средства сданы в бухгалтерию и все денезжные средства, поступившие на мою ответственность, оприходованы, а выбывшие описаны в расход.

Материально-ответственное лицо

____

должность подпись и.о.фамилия

На основании приказа (распоряжения) от ____________
№________ проведена инвентаризация денежных средств но состоянию на « _____ » __________ 19 г.

При инвентаризации установлено следующее:

1. наличных денег ________руб._______ коп.
2. почтовых марок ________руб._______ коп.
3. ________руб._______ коп.

Итого фактическое
наличие ________________ ________руб._______ коп.
(прописью)

По учетным данным ________руб._______ коп.

Резултаты инвентаризации: излишек_____, недостача _____
Последние номера кассовых ордеров
проходного № _______ расходного № _______

Председатель комиссий

____

должность подпись и.о.фамилия

Подтверждаю, что денежные средства, перечисленные в акте, находятся на моем ответственном хранении.

Метериально-ответственное лицо
« _____ » __________ 19 г.

Объяснение причин излишков или недостач

____

____

Решечие руководителя предприятия

____

В. Заполните заявление.

Заявление в налоговую инспекцию

от ______________________________

для взятия на учёт нашего предприятия сообщаем следующее:

1. Полное наименование, адрес
2. Время возникновения
3. Ф.И.О. руководителя и главного бухгалтера, их домашний адрес, телефон
4. Наименование банка, адрес банка, расчётный счёт в банке

Руководитель предприятия ______________

Главный бухгалтер ______________

4. Перескажите следующий отрывок из закона *О предприятиях и препринимательской деятельности:*

Статъя 19. Участие предпринимателя в распределении прибыли предприятия

1. Прибыль преприятия после уплаты налогов, других обязательств, дивидендов поступает в распоряжение препринимателя и используется им самостоятельно, если иное не предусмотрено уставом преприятия.

2. Предприниматель, работающий по договору (контракту), может получать вознаграждение как в форме заработной платы, так в форме доли прибыли преприятия. Формы, порядок и условия оплаты труда предпринимателя определяются договором (контрактом), заключенным с собстсвенником имущества преприятия.

3. При осуществлении предпринимательской деятельности коллективным предпринимателем доходы каждого из партнеров определяются на основании договора между ними.

4. Личные доходы предпринимателя подлежат налогообложению в порядке, установленном законодательством РСФСР о налогообложении граждан.

5. Заполните платёжное поручение, сделав перевод 5798 долларов США в ГТ Лтд. на покупку медикаментов.

Межотрбанк
109465 Москва
Пушеничная ул. 36, дом 6

Наименоиание и адрес
организации-плательщик:

____

____

Заявление на перевод № ______
от ____________ 199 ___ года

Просим платить (номер инкассо банка-ремитента):
[ ] по телексу [ ] по СВИФТУ [ ] авиапочтой

Сумма в валюте (цифрами и прописью):

Реквизиты банка корреспондента (наименоиание и адрес):

Назначение платежа (необходимые данные для бенефициара и банка корреспондента):

Сумму перевода просим списать с нашего счета № ________________ в Межотрбанке

Комиссию и расходы Межотрбанка по переводу:

[ ] просим списать с нашего счета № ________________ в Межотрбанке
[ ] просим списать с счета банка-корреспондента /отказываемся оплачивать/

Комиссию и расходы банка корреспондента по переводу:

[ ] просим списать с нашего счета № ________________ в Межотрбанке
[ ] просим списать с счета банка-корреспондента /отказываемся оплачивать/

____________________ Руководитель

М. П.

____________________ Главный бухгалтер

Юридические термины в деловом словаре

Урок 10

УСТНАЯ ПРАКТИКА

Характерной особенностью современных юридических терминов является то, что они не часто изменяются, хотя многие из них постепенно устаревают. Появляются новые законы и постановления и в них появляются слова, обозначающие° новые явления, новые сокращения и аббревиатуры.

designating

Как часть делового русского языка, мы изучим юридические термины, относящиеся к области международной торговли, системы страхования° и законам о международной торговле.

insurance

Среди юридических терминов, много слов иностранного происхождения и устойчивых словосочетаний, например: юридический адрес,° юридическое лицо,° форс-мажор,° арбитражный суд.°

legal address
legal person; force-major; arbitration court

Попробуйте определить какие слова в данном тексте являются новыми, а какие могли употреблятся и в прошлом веке.

Закон о *Порядке иностранного капиталовложения° в Российской Федерации* является краеугольным камнем° существующих на настоящий день законных норм, регулирующих инвестиционную активность в России.

capital investment
foundation stone

Закон даёт иностранным инвесторам и местным предпринимателям одинаковые права на приобретение° доли в существующих акционерных обществах, участие в приватизации государственной и муниципальной собственности, приобретение разного рода недвижимости° и прав на неё, включая землю и минеральные ресурсы. Во всех операциях приоритетной° формой оплаты предусма-

acquisition
real estate
priority

stipulated — auctions; reinvestment — exchange

триваетсяº оплата в рублях. Постановление также позволяет иностранным инвесторам иметь счета в российских банках. Средства, аккумулированные на таких счетах в результате торговой деятельности на территории РФ, могут быть использованы для приобретения валюты на аукционах,º повторных вкладовº в экономику или приобретение акций русских компаний.

Некоторая деятельность, по закону, требует наличия специальной лицензии, например: страхование, биржеваяº и банковская деятельность.

Закон также вводит многочисленные льготы для инвесторов в свободные экономические зоны.

ДИАЛОГИ

Джон Грин получает справку о том, как получить лицензию на биржевую деятельность.

Джон: Скажите, могу я получить лицензию на биржевую деятельность?

Чиновник: Заполните заявление и приложите необходимые документы.

Джон: А какие документы необходимы?

Чиновник: Порядок лицензирования и все требования описаны вот в этой брошюре. К ней же прилагается и копия заявления. Заявление предоставляется в машинописномº виде непосредственно или по факсу. Дополнительные листы заверяютсяº у нотариусаº и скрепляются печатью.

Джон: Всё понятно. Спасибо за информацию.

typed — certified — notary

Ольга в Центре по проведению межбанковских валютных операций на семинаре работников банков международной торговли. Она пришла узнать, каков порядок покупки или продажи иностранной валюты.

Ольга: Скажите, что нужно сделать, чтобы приобрести валюту?

Консультант: Необходимо представить заявкуº

application

стандартной формы уполномоченному° банку, а также копии контрактов и лицензий на импорт товаров и услуг. | authorized

Ольга: Что ещё надо указывать в заявке?

Консультант: Клиент должен декларировать° цель использования валюты. | declare

Ольга: Я могу перевести валюту за границу?

Консультант: Да, а также использовать на покупку товаров и услуг или использовать валюту для продажи.

Ольга: А кто осуществляет определение рыночного курса?

Консультант: Проведение торгов и определение курса осуществляет специально уполномоченный сотрудник Центра - курсовой маклер.° | broker

Ольга: Спасибо за крайне полезные сведения.

Джон: Ольга, скажите пожалуйста, должны ли мы платить налоги Российский Федерации?

Ольга: Поскольку мы осуществляем теперь нашу предпринимательскую деятельность через постоянное представительство, то мы должны платить налог на доходы.° | income tax

Джон: То есть мы являемся юридическим лицом и наверное подлежим учёту в налоговом органе. Только в каком?

Ольга: По закону—по месту нахождения представительства. Но, где это находится, я выяснить пока не могу. Зато я выяснила ставки° налога. Взимается 25% с доходов от консультационных и аудиторских° услуг, 45% с брокерских контор и бирж, а на прочую деятельность иностранных юридических лиц не более 18 процентов. | level; auditing

Джон: А, как часто платят налоги, вы знаете?

Ольга: А как же, не позднее 15 апреля года, следующего за отчётным, в безналичном порядке.° | by bank transfer

Джон: Ну, до 15 апреля у нас есть время выяснить местонахождение Государственной налоговой службы.° | state tax inspectorate

ЗАДАНИЯ

1. Объясните значение и переведите на английский язык слова:

филиал, дочернее предприятие, представительство, акционерное общество, малое предприятие, конгломерат, учредительный договор, наём рабочих, распределение прибыли, протокол собрания, регистрация

2. Прочтите слова и их определения. Составьте сенсационную газетную статью с использованием приведённых слов.

commercial secret — Коммерческая тайна° - сведения известные только непосредственным участникам торговой операции и не подлежащие разглашению.°

disclosure

totality — Коммерческий код - совокупность° условных обозначений,° несущих° коммерческую информацию, набор которых производится компьютером.

symbols; current

copyright — Авторское право° - часть национального и международного права, которое регулирует права авторов и базируется на многосторонних международных конвенциях.

3. Переведите на англиийский язык.

encouragement — А. Поощрение° экспорта является действенным орудием демонополизации экономики.

Б. Когда государство помогает продвижению зарубеж возрастающей товарной массы, оно способствует расширению спроса на продукты национального производства.

orientation

dynamic — В. Экспортная ориентация° делает экономику более динамичной° и придаёт ей новое качество.

Г. Эффективным средством развития экспорта является регулирование валютного курса.

4. Выучите слова и словосочетания.

протокол о намерениях, технико-экономическое обоснование (ТЭО), договор о совместном предприятии, устав совместного предприятия, основополагающие° документы, обеспечить доступ, права на собственность, инспекция, право вето, случай аннуляции, бесспорный

basic principles

5. Перескажите текст.

Малое предприятие° считается одной из перспективных форм предпринимательской деятельности в условиях зарождающегося рынка. Одним из критериев малого предприятия является численность° рабочих, и существуют разные квоты для разных разрядов предприятий. Малое предприятие может быть частное, государственное, кооперативное, акционерное общество, товарищество с ограниченной ответственностью, арендное или коллективное. Преимущества малого предприятия (гибкое перепрофилирование деятельности,° короткий инвестиционный период, меневренность оборотных средств°) позволяют ему успешно конкурировать с крупными предприятиями.

small business

quantity

re-structuring of activity

working capital

ВНЕКЛАССНАЯ РАБОТА

1. Напишите краткую заметку для газеты, иллюстрирующую деятельность какой-либо организации со следующими словосочетаниями:

самофинансирующееся агентство, развивающиеся страны, долгосрочное финансирование, конкурентоспособность, капиталовложения, встреча на высшем уровне, политический риск, ассигнования,° потенциальный партнёр, компьютерная система данных, номинальная плата

allocation

2. Прочтите текст и составьте вопросы с выделенными словами.

КОРПОРАЦИЯ ЧАСТНЫХ КАПИТАЛОВЛОЖЕНИЙ ЗА ОКЕАНОМ (OPIC)

OPIC является самофинансирующимся агенством правительства США, целью которого является экономический рост в развивающихся странах за счёт поощрения американского частного капитала в этих странах. Созданная в 1969 году Конгрессом США, OPIC построена по типу частной фирмы° и не получает никаких ассигнований от Конгресса. Несмотря на это, OPIC зарегестрировала положительный доход° на каждый год своих операций, с резервами на настоящий момент превышающими° 163 миллиарда долларов.

OPIC помогает американским компаниям оставаться конкурентоспособными° на внешних рынках через две основные программы: 1 - финансирование капиталовложений посредством прямых займов° или гарантий займов, и 2 - страхуя проекты капиталовложений от широкого ряда политических рисков.

Все гарантии OPICa, также как и страховые обязательства, обеспечиваются полной поддержкой и кредитами° США и собственными финансовыми резервами OPICa.

Основные программы и услуги

Финансирование: Средне и долгосрочное° финансирование для капиталовложений за океаном через прямые ссуды° или гарантии ссуд. Покрывающие° риск ссуды OPICa в пользу американских финансирующих организаций обычно бывают от 2 миллионов до 25 миллионов долларов. В целом OPIC покрывает не больше 50% общей стоимости проекта.

Страховка политических рисков на случай политических катастроф (войн, революций, гражданских волнений), включая имущество, доход и в случае экспроприации° и неконвертируемость° местной валюты.

Миссии инвестиций, направленные на создание встреч на высшем уровне потенциальным деловым партнёрам. Банк возможностей, компьютерная система данных для подбора° проектов за океаном.

Информационный сервис финансиста: информация на 110 стран и 16 регионов, рассортированная° по спецификациям. За услугу взимается номинальная плата.°

private firms
profit
exceeding
competitive
loans
credits
long-term
loans; cover
expropriation
inconvertibility
selection
classified, sorted
nominal fee

3. Прочтите текст, перескажите, используя выделенные слова.

В начале 1992 года открылось представительство АО "Ингосстрах" в Нью-Йорке. Компания намерена начать страхование имущественных° и транспортных° рисков американских фирм в России. Кроме этого, фирма может оказать помощь в оценке риска и застраховать° под свою ответственность или в доле с американской страховой компанией.

property
transportation
insure

Самостоятельно американские фирмы не берутся страховать риски на территории России из за незнания° специфических условий.

ignorance

Деятельность вновь открывшегося представительства расширит° связь американских фирм с Россией, затруднённой° отсутствием действенной системы страховой защиты.°

expand, broaden
hindered by
insurance coverage

Страхование инвестиционных рисков пока не предлагается, хотя именно это вызывает большой интерес у потенциальных инвесторов.

4. Составьте предложения со словами:

содержать информацию как конфиденциальную, основное расположение бизнеса, разглашать, третьи лица, быть связанным обязательствами, названные стороны, разгласить информацию, расторгнуть° договор, дата истечения срока, возобновить° договор, в письменном виде, определять индивидуально в каждом случае

annul
renew

5. Ответьте на вопросы.

А. Есть ли в России специальные законы о совместных предприятиях?
Joint ventures must be registered joint stock companies, and therefore operate according to that Russian law.

Б. Какая тенденция замечена среди иностранных инвесторов?
Foreign investors seek direct investment through joint stock companies or small enterprises. Privatization has evoked particular interest in this regard.

В. Тем не менее, какой вид кооперации является наиболее распространённым?
The joint venture structure, within the framework of joint stock companies, remains the most tested and widespread vehicle for foreign investment.

Г. Где регистрируются совместные предприятия?
A joint stock company with foreign investment, in other words a joint venture, must be registered with the Ministry of Finance.

Д. Какие документы необходимы для регистрации?
The same documents required for registration of a joint stock company: the charter and founding protocols, plus information about the Western investor's registration and financial status.

ДОПОЛНИТЕЛЬНЫЙ МАТЕРИАЛ

1. Закон о банкротстве

В январе 1993 года был принят и опубликован Закон Российской Федерации, *О несостоятельности (банкротстве) предприятий*. Появление этого закона очень важно для становления рынка и в основном определяет условия и порядок объявления предприятия несостоятельным должником,° проведения конкурса и устанавливает очерёдность° удовлетворения требований кредиторов.

creditors
order

Кроме того, новый закон создаёт правовую основу для ликвидации несостоятельных предприятий.

Закон, *О несостоятельности предприятий* входит в силу с 1 марта 1993 года. Паралельно с этим Верховный Совет Российской Федерации готовит внесение изменений в закон, *О государственной пошлине*.

Основные положения закона о банкротстве следующие:

Под несостоятельностью (банкротством) предприятия понимается неспособность°

inability

удовлетворить требования кредиторов по оплате, включая неспособность обеспечить обязательные платежи в бюджет и внебюджетные° фонды. extra-budgetary

Внешним признаком несостоятельности является приостановление° текущих платежей предприятия и неспособность его выполнить требования кредиторов в течение трёх месяцев со дня наступления° сроков исполнения этих требований. suspension approach

Несостоятельность считается имеющей место после признания этого факта арбитражным судом или после официального объявления о ней должником при его добровольной ликвидации.

В соответствии с принятым законом в отношении должника° применяются следующие меры: реорганизационные; ликвидационные; мировое соглашение. debtor

Дела о несостоятельности рассматриваются° Высшим арбитражным судом республики в составе Российской Федерации, если требования к должнику в совокупности составляют сумму не менее 500 минимальных размеров оплаты труда, установленных законом. scrutinize

2. Меры по поддержке малого предпринимательства

Другим важным документом является постановление от 11 мая 1993 года *О первоочередных° мерах по развитию и государственной поддержке малого предпринимательства в России*, ставящего своей целью утвердить° комплекс мер по развитию малого предпринимательства и регулирующих их деятельность. primary establish

Поддержка малого предпринимательства рассматривается в постановлении как одно из важнейших направлений экономической реформы.

В качестве основных приоритетов развития малого предпринимательства определяются следующие: производство и переработка сельскохозяйственной продукции; производство товаров широкого потребления и продовольственных, лекарственных препаратов и медтехники; оказание производственных, коммунальных и бытовых услуг; жилищное и производственное строительство; инновационную деятельность.

Следствием данного постановления будут изменения в налоговом законодательстве Российской Федерации, предусматривающие налоговые льготы малым предприятиям, работаю щим по приоритетным направлениям.

В целях привлечения к внешнеэкономической деятельности малых предприятий а также дополнительных средств в республиканский бюджет, установить на 1993 дополнительные экспортные квоты для аукционной продажи малым предприятиям, работающим по приоритетным направлениям.

Ещё одним шагом в этом направлении является образование при Госкомитете Российской Федерации Коммиссии по антомонопольной политике и поддержке новых экономическох структур.

Новые аббревиатуры и сокращения

Урок 11

УСТНАЯ ПРАКТИКА

Аббревиатуры° и сокращения° являются очень активно используемыми образованиями в деловом русском языке, а также и в международной практике. Они легко запоминаются, экономичны и распознаваемы° даже на иностранном языке.

abbreviations; acronyms

discerned

Например: (ФОБ, СИФ - FOB, CIF).

За последние годы много аббревиатур вышло из активного употребления и появилось большое количества новых. Аббревиатуры и другие сложносокращённые° слова чаще всего употребляются в периодических печатных изданиях,° деловой переписке и устной речи. По стилю они являются нейтральными и не имеют ограничений в употреблении.

complex-contracted

periodicals

Как правило, новые аббревиатуры в контексте расшифровываются и потом употребляются в сокращении только в данном тексте. Не расшифровываются общеизвестные и часто употребляющиеся аббревиатуры.

Например:

Состоялись первые технические торги° НТФБ (Национальной транспортно-фрахтовой биржи), специализирующейся на транспортных услугах и купле-продаже транспортных средств.

action, tender

Деятельность Российской пушно-меховой кожевенной товарно-сырьевой биржи, на которой представлены почти все страны СНГ, ориентирована преимущественно на внутренний рынок.°

internal market

Необходимо снятие° административного давления° на ЦБ со стороны законодательных° и исполнительных° органов.

removal

pressure

legislative; executive

Совет МБС (Московского банковского союза) рассматривает возможность по страхованию банковских документов.

КОММЕНТАРИИ

Правила правописания сложносокращённых слов:

Пишутся...

lower; upper case

nominal

со строчной° буквы:	**с прописной° буквы:**
нарицательные° сложносокращённые слова (хозрасчёт, колхоз) Аббревиатуры, читающиеся по звукам, но обозначающие **нарицательные** имена (нэп, вуз). Есть некоторые исключения: ЖЭК, АО, СП, ТД.	сокращения **собственных** имён, состоящие из словосочетания слога с полным словом (Совтранс, Главалмаззолото) Аббревиатуры читающиеся по звукам, которые обозначают **собственные** имена (МКАД, ООН) Аббревиатуры, читаемые по названиям букв (МВЕС, СКВ, СП)

ДИАЛОГИ

Ольга: Вот, пожалуй, самое короткое объявление в газете, которое я видела, в разделе *Покупаем и продаём: СКВ, тел. 992-9789*

Юрий: А, я видел тоже забавное: *МП предлагает оборудование для производства чёрной икры и сахарной ваты.* Интересно, это разное оборудование?

Джон: Вопрос - Как бы вы перевели на русский язык Internal Revenue Service (IRS)?

Ольга: Я бы перевела "внутренняя налоговая служба."

Юрий: Хотя "revenue" это не налог, по смыслу перевод по-моему верный.

Джон: А, вы знаете, как называется аналогичное учреждение здесь?

Ольга: По-моему, это Государственная налоговая служба РФ или ГНС РФ, как теперь принято выражаться. Но у нас тоже есть сейчас Государственная налоговая полиция.

Джон: Вы знаете какой курьёз я видел сегодня в коммерческом еженедельнике? Как раз в статье о программном обеспечении,° ПО. Есть банковское ПО, брокерское ПО, бухгалтерское ПО.

software

Ольга: И кто его разрабатывает?

Джон: Его разрабатывает и распространяет производственное объединение,° то есть ПО, "Квант."

manufacturing amalgamation

Ольга: То есть ПО "Квант" реализует новые разработки ПО. Звучит вполне современно.

Ольга: Я совершенно согласна с мнением одного политического деятеля, что предприятия ВПК нужно просто передать в собственность коллективам.

Юрий: А что такое ВПК?

Ольга: Как, вы не знаете? ВПК—это военно-промышленный комплекс.° Никто не знает, что с ним делать.

military-industrial complex

Юрий: И какую точку зрения вы поддерживаете?

Ольга: Я считаю, что если заводы передать рабочим и инженерам, то через несколько месяцев они начнут выпускать° полезную продукцию.

put out, produce

Юрий: Вполне возможно. Но я бы подождал несколько месяцев, прежде чем покупать их акции. В России бывали неудачные опыты передачи частной собственности.°

private property

Джон: Вы знаете, что я сегодня видел на Манежной площади? Американский вертолёт 20В-111.

Ольга: Наверное, снимали кино.

Юрий: Или широко отмечали День Христофора Колумба.

Джон: Всего навсего передавали вертолёт Московскому отделению ГУВД для патрулирования° города.

patroling

Ольга: Просто удивительно!

IMF

Юрий: Ольга, что такое МВФ?°

Ольга: Международный валютный фонд.

Юрий: Он как-то относится к ООН, на так ли?

Ольга: МВФ—это специализированное межправительственное учреждение ООН, насчитывающее 155 государств-членов.°

member countries

ЗАДАНИЯ

1. Какие из перечисленных ниже аббревиатур являются собственными, а какие нарицательными. Объясните по каким признакам вы это определили.

СНГ - Союз Независимых Государств
АО - акционерное общество
СКВ - свободно-конвертируемая валюта
НПО - научно-производственное определение
МНБ - Московская нефтяная биржа
УБС - Универсальная биржа "Стекло"
РМКБ - Российская международная книжная биржа
ТФБ - товарно-фондовая биржа
РТСБ - Российская товарно-сырьевая биржа
МЦФБ - Московская центральная фондовая° биржа

security

ФДО - Федерация детских организаций
ГНИ - Государственная налоговая инспекция
РФ - Российская Федерация
РФВ - Российская фондовая биржа
ТД - торговый дом
ВСРФ - Верховный Совет Российской Федерации
КС РФ - Констутиционный суд Российской Федерации

ГХУ - главное хозяйственное управление
АБД - автоматизированный банк данных
ККФБ - Консультативный комитет фондовых бирж
ЕБРР - Европейский банк реконструкции и развития
ПО - производственное объединение
ГФА - Государственная финансовая академия

2. Выпишите и расшифруйте 10 новых аббревиатур из текущих российских газет.

3. Приведите примеры аббревиатур советизмов.

4. Составьте аббревиатуры.

Всероссийский биржевой банк
совместное предприятие
Министерство безопасности Российской Федерации
Государственная авто-инспекция
налог на добавленную стоимость° — value-added tax
Выставка Достижений Народного Хозяйства
Московский коммерческий университет
Европейское экономическое сообщество
малое предприятие
расчётный счёт
фамилия, имя, отчество

5. Составьте сокращённые слова из словосочетаний.

государственная налоговая служба
государственное задание
специальный проект
коллективное хозяйство
ликвидация безграмотности
Государственный страховой надзор

ВНЕКЛАССНАЯ РАБОТА

1. Прочтите и запомните значение терминов по страхованию и перестрахованию.

ПЕРВОНАЧАЛЬНЫЕ УСЛОВИЯ° - условия записанные в страховом договоре, — primary conditions перестрахование может производиться на первоначальных условиях.

reinsurance — ПЕРЕСТРАХОВАНИЕ° - операция между двумя страховыми компаниями, при которой одна из них принимает часть или всю сумму риска по страховому договору.

under-insurance — ПОДСТРАХОВАНИЕ° - страхование, не адекватное с точки зрения размера страховой суммы для полного возмещения° убытков. (repayment)

coverage — ПОКРЫТИЕ° НА СЛУЧАЙ КАТАСТРОФЫ - форма перестрахования, при которой компенсируется до определённого предела сумма убытков в результате одной катастрофы.

policy — ПОЛИС° - письменный договор о страховании или перестраховании.

losses incurred — ПОНЕСЁННЫЕ УБЫТКИ° - как оплаченные, так и неоплаченные убытки в период действия договора о страховании.

middleman, broker — ПОСРЕДНИК° - агент или брокер, через которого заключается договор или урегулируются претензии.° (complaints, claims)

policy premium — ПРЕМИЯ° - оплата услуг по страхованию.

ПРЕКРАЩЕНИЕ ДЕЙСТВИЯ ПОЛИСА - аннуляция договора, возможная из-за невыплат° премий. (non-payment) Полис теряет силу по истечении° срока действия предусмотренного в договоре. (expiration)

2. Переведите на английский язык.

А. Инвестиционный банк подписал договор о предоставлению малому предприятию долгосрочных кредитов.

Б. Контракт был заключён на условиях, что платёж будет произведён против вручения документов.

В. Все ожидают, что к концу этого года курс конвертации рубля изменится.

Г. До недавнего времени было практически невозможно преобрести страховой полис, покрывающий риск по ведению дел в России.

Д. Фирма “Вестерн Юнион” открыла возможности кабельного перевода денег в СНГ.

Е. Фондовые рынки и аукционы кредитных ресурсов становятся частью финансовой деятельности в России.

3. Переведите на английский язык, расшифровав аббревиатуры.

А. Главное управление ЦБ РФ сообщило данные о новых аудиторских фирмах, получивших лицензии на проведение аудиторских проверок в банках.

Б. Минфин РФ работает над усовершенствованием административного законодательства, в частности ответственности за нарушение правил производства бланков ценных бумаг.

В. МИД РФ сделает всё возможное, чтобы приступить к реализации соглашения в кратчайшие сроки.

Г. Российское законодательство вырабатывает такую организационно-правовую норму, как бесприбыльное учреждение.

Д. Такие коммерческие структуры, как биржа Центросоюза работают сейчас на ВДНХ.

Е. МВФ, как впрочем и другие финансовые структуры мира, тревожит разрыв рублёвого пространства СНГ.

4. Определите общий принцип в образовании следующих аббревиатур. МАЗ, КАМАЗ, БЕЛАЗ, КРАЗ, УАЗ, ВАЗ, ГАЗ

5. Составьте рекламные объявления из предложений.

А. Ювелирная секция в торгово-выставочном° комплексе "Москва" предлагает золотые изделия "на каждый день" импортного производства. Преобладают° молодёжные модели.

showroom

predominate

Б. С 1 июня проводится сезонно-рекламная распродажа,° цены на товары снижены на 10-50%.

sale, sell-off

В. Совместно-американское предприятие продаёт подержанные° автомобили по очень низким для московского рынка ценам.

used

Г. В магазине Duty Free обслуживают частных лиц по предварительно поступившим° заказам.

received in advance

Д. Частная фирма предлагает клиентам устроить салют° по заказу, место для проведения салюта клиент определяет сам.

fireworks display

Е. "Только интеллигентные люди," как сообщил организатор семинара, будут принимать участие в научно-практическом семинаре по "тантре", который пройдёт в доме отдыха на Клязьменском водохранилище.°

reservoir

Ж. Все педагоги нового частного лицея° для дошкольников-кандидаты наук, преподающие в МГУ и других московских вузах. Система преподавания разработана с использованием методик США и Швеции.

private school, lyceum

6. Образуйте прилагательные от существительных:

акционер	адрес
коммерция	бухгалтер
биржа	квалификация
расчёт	лицензия
кредит	прибыль
компьютер	конфликт
справочник	номенклатура
метод	приватизация

7. Прочтите текст. Запомните новые аббревиатуры.

ОБЪЯВЛЕНИЯ

ТРЕБУЮТСЯ: Требуется журналист с опытом работы на компьютерах со знанием английского и русского языков. Возможны поездки по территории СНГ. Отправляйте ответ в письменной форме по адресу: Москва 100000, а/я 54.

ТУРИЗМ: Оформляем визы, з/паспорта. Обращайтесь по телефону ... Организуем поездку

в Нью-Йорк для покупки товаров.
Комфортабельный круиз° с полным комплексом услуг, с посещением Барселоны в дни Олимпийских Игр. | cruise

УСЛУГИ: - А/О "Бизнес-Трейд" выгодно купит или продаст СКВ. - Все виды авиаперевозок° в странах СНГ. Финансируем проекты. - Ваши проблемы становятся нашими с момента звонка по телефону: ... - Предлагаем обучение в школе телохранителей,° обращайтесь по адресу: ... | air transport; bodyguard

ДОПОЛНИТЕЛЬНЫЙ МАТЕРИАЛ

1. Коммерческая библиотека при РАН.

Общеизвестно, что всё связанное с заполнением или оформлением документов обычно вызывает состояние близкое к ужасу у самих русских.

Несмотря на то, что сейчас процесс этот упрощается и стандартизируется в соответствии с международными нормами, чтобы зарегистрировать частное предприятие нужно от четырёх до дюжины° различных типовых документов. | dozen

Для людей, не имеющих достаточного опыта и необходимой информации, а также для людей уже имевших некоторый опыт с посткоммунистическим бюрократическим аппаратом, создан банк образцов документов.

Банк образцов документов создан Институтом внешнеэкономических исследований° РАН (Российской академии наук). | research

Получить информацию можно, перечислив° сумму оплаты на расчётный счёт в банке. Необходимый вам документ высылается почтой. Некоторые документы имеются в банке на нескольких языках. | transfer

Среди предлагаемых новому предпринимателю или иностранному бизнесмену документов, например, следующие:

Конвенция ООН о международых контрактах купли-продажи
Образец контракта на бартер

Договор о консигнации; об оказании посреднических услуг
Образец банковской гарантии
Правила Администрации малого бизнеса в США
Образец аккредитива
Устав многостороннего агенства по гарантиям иностранных инвестиций (МИГА)
Образец гарантийного депозита
protection — Письмо о сохранении° конфиденциальности
sample — Примерная° форма залогового обязательства
licensing — Образец лицензионного° соглашения на продажу ноу-хау
Соглашение об участии в аукционе юридического-физического лица

И многие другие, более ста документов объёмом от 1 до 400 страниц.

2. Единый банк данных правовой информации

12 мая 1993 года Президент Российской Федерации подписал указ о создании в Государственно-правовом управлении Президента единого эталонного° банка правовой информации, включающего в себя наряду с актами высших органов законодательной и исполнительной° власти Российской Федерации нормативные акты всех субъектов Федерации.

standard; executive

Результатом этого должно явиться создание общей концепции правовой политики и правовое обеспечение осуществляемых° в России реформ. Вся информация, поступающая в *центр* и из *центра*, должна быть систематизирована, учтена° и передана на хранение° таким образом, чтобы не препятствовать° выдаче справок° по этим актам и удовлетворению° запросов частных лиц и организаций.

being conducted; inventoried; storage; hinder; inquiries; satisfaction

Особенности ведения переговоров

Урок 12

УСТНАЯ ПРАКТИКА

Устный деловой русский язык является формой литературного языка с использованием большого числа терминов. Он нейтрален стилистически и служит средством общения между деловыми людьми разных стран.

Всё более распространённым становится изучение русского языка среди бизнесменов, многие из них обходятся° без переводчика, приезжая в Россию на переговоры. Часто одним из условий приема на работу ставится знание языка той страны, с которой ведёт дела фирма. Руководящие работники многих западных фирм, ожидая установления надёжного рынка в странах СНГ, начинают изучать русский язык по специально разработанным программам. Вместе с языком, они изучают и обычаи страны, культуру и деловой этикет. Садясь за стол переговоров, они лучше понимают другую сторону и легче добиваются продуктивных решений.

get by

Характерной особенностью русского стиля ведения переговоров является обильное° использование поговорок,° цитат и прочих произведений народной мудрости.°

abundant
sayings, proverbs
folk wisdom

Например:

Семь раз отмерь - один отрежь.
Сначала деньги - потом стулья.

Существует также много общепринятых выражений,° например: позвольте вам представить, разрешите° с вами не согласиться, выразить благодарность (солидарность, сочувствие,° удовлетворение), оказать дружеский приём, позвольте вам рекомендовать° и т.д.

expressions
permit
sympathy
recommend

В целом устный деловой язык менее формальный, чем письменный. Принято обращение на "вы", по имени отчеству и при представлении объявление должности, титула, учёной степени и т.д. В остальных случаях используются обращения "господин - госпожа." *Считается невежливым° говорить о присутствующем° в третьем лице.*

impolite; those present

Например: Он говорит, что он не сможет присутствовать на этой встрече.

Правильно: Господин Грин говорит, что он не сможет присутствовать на этой встрече.

Как правило, переговоры в России ведутся на русском языке и обычно присутствуют переводчики. Международные конференции и симпозиумы проводятся с синхронным° переводом. Телевизионные репортажи на русском языке в другие страны сопровождаются титрами° или устным переводом.

simultaneous

titles

КОММЕНТАРИИ:

Обратите внимание на порядок перечисления званий на русских визитных карточках:

Ф.И.О., президент фирмы "...", доктор технических наук, член АН РФ.
Ф.И.О., главный инженер ПО "...", кандидат технических наук.
Ф.И.О., старший консультант торговой фирмы "...".
Ф.И.О., референт-искусствовед, Совместная фирма "...".
Ф.И.О., представитель фирмы "...", Русское отделение.

ДИАЛОГИ

Джон Грин встречается со студентами Русской Школы в одном из университетов. Его попросили рассказать о предрассудках в его деловом опыте.

Джон: Друзья мои! Жизнь и деятельность в России подвержена° влиянию предрассудков.

subject to

Я убеждался в этом много раз, хотя это и кажется абсурдным.

Русские сами смеются над этим, но глубоко внутри они верят в приметы.° Нарпимер где бы вы ни были, не будут здороваться через порог° (так как это ведёт к ссоре°), стараются не свистеть° в помещении (а то не будет денег), и в большинстве случаев пойдут другой дорогой, если её перебежит чёрная кошка.

signs, omens
threshhold, doorway
argument
whistle

Не стоит критикивать это, если вы приехали в страну, особенно с деловым визитом. Вообще редко можно найти кого-либо более критически настроенного° по отношению к России, чем сами русские. Но не стоит воспринимать° это как приглашение вашему критицизму. Русские очень гордятся° своей страной и её достижениями в истории и культуре. Современные проблемы и положение ни в коем случае не умаляют° этой гордости.

inclined
take
proud
disparage

Существуют несколько основных правил, которые стоит запомнить:

1. Если дарите цветы, то их должно быть нечётное° количество.
2. Не наливайте° вино, держа бутылку от себя.
3. Спрашивайте разрешения, прежде чем закурить или снять пиджак° на деловых встречах.
4. В России принято пропускать дам вперёд, подавать им пальто и открывать дверцу° машины.

odd, uneven
pour
sportcoat
door

У вас есть каки-нибудь вопросы?

Студент: А в чём выражается знаменитое русское гостеприимство?°

hospitality

Джон: Обычно вы проводите много времени после деловых встреч и переговоров на всевозможных приёмах,° обедах, экскурсиях и т.д. Русские принимают очень тепло и всегда производят этим сильное впечатление° на приезжающих бизнесменов. Я бы сказал, что это надо испытать, чтобы понять.

receptions
impression

В России всегда чтили° путешественников, чужеземцев и разного рода странников, гостеприимство стало как бы частью культуры. Тем не менее, никогда не переходите установленного вами предела потребления спиртного из вежливости к хозяину.

honored

Студентка: Скажите, а какой код одежды принят у женщин, работающих в бизнесе?

dress conservatively

Джон: Женщинам лучше одеваться° консервативно,° то есть примерно так, как вы одеваетесь в Америке на интервью по приёму на работу на фирму. Вообще, о вас будут судить по тому, как вы одеваетесь. Есть поговорка : "По одежке встречают, по уму провожают."

find out

fear, shrink from

trouble, pains

В заключении, хочу вам сказать, что готовясь к встрече, постарайтесь выяснить° с кем вы встречаетесь, информацию о его/её фирме. Никогда не стесняйтесь° спрашивать, если переговоры ведутся на русском языке и вы чего-то не поняли. А кроме того, часто хороший переводчик может избавить вас от большого количества хлопот.°

ЗАДАНИЯ

1. Проведите переговоры, используя слова и выражения:

hearty

А. встретиться с намерением обсудить, участие в проекте, ссылаться на, подтвердить намерение, мнение членов правления, представить нашу фирму на ..., Американский павильон в Экспо-центре, оказать радушный° приём, принять решение, срочно отправить заявку на..., рассмотрение проекта, протокол о намерениях, визит на производственное предприятие, перейти к следующему вопросу, создание каталога изделий, стратегия маркетинга.

adjust

Б. создать СП, возможность налаживания° производства, сроки завершения проекта, обеспечить поставки сырья, обучения специалистов, проведение коммуникаций, импортные производственные линии, регистрация, аренда помещения, клиентура, готовность, техноцентр, упаковочные материалы, инвестиция, бартерные сделки, лицензия на экспорт.

В. консалтинговое АО, специализироваться на предоставлении консультаций, методика работы, принимать заказы, разработка комплексных инвестиционных программ, ориентировать деятельность на ..., вопросы страхования, результативная° встреча, независимо от профиля работы, церемония открытия, проводить экспертизу, установить расценки° на услуги, действовать через посредников.

showing results

pricing

Г. косметическая фирма, товарищество с ограниченной ответственностью, производство упаковочных материалов, местные поставщики сырья, завод по производству стекла, транспортная инфраструктура, преимущество,° обратить внимание на ..., провести исследования рынка, в заключении, прийти к выводу° о ..., оптовая и розничная торговля, специализированный магазин, совместное производство, условия для создания.

advantage

conclusion

2. Прочтите речевые стандарты, которые используются в официальной русской речи и составьте с ними предложения.

По поручению президента фирмы я ...
Позвольте мне от имени всей группы выразить°... — express
Разрешите мне добавить,° что ... — add
Позвольте мне заметить° ... — remark
Разрешите обратить ваше внимание на ...
Считаю необходимым довести до вашего сведения, что ...
Я имею все основания считать ...
Не могу с вами не согласиться в том, что ...
Я предлагаю тост за ...

3. На основании данных внесённых вами в визовую анкету (Урок 1), проведите анализ деятельности вашей фирмы на рынке стран СНГ. Используйте речевые обороты, изученные в данном уроке.

4. Подготовьте выступление на Ассоциации малых предприятий, иллюстрирующее деятельность вашей фирмы.

in favor of

5. Приведите 5 аргументов в пользу° развития деловых контактов с СНГ.

6. Закончите предложения.

anxiety

А. Вызывает озабоченность° неподготовленность населения к ...
Б. Несомненно, либерализация цен ...
В. Как финансист, хочу прежде всего отметить ...
Г. Я считаю, что сотрудничество ...
Д. Прежде всего, следует принять меры по ...
Е. Давайте пожелаем успехов ...
Ж. Общеизвестно, что одной из задач нашей организации ...
З. Позвольте привести следующие факты ...
И. Как известно, цены на акции ...

7. Объясните значение следующих поговорок. Определите, какие из них русские.

fans

А. Продавец вееров° обмахивается руками.

shoemaker

Б. Сапожник° без сапог.

clench

В. После боя кулаками не машут.°

raising

Г. После поднятия° занавеса деньги не возвращаются.

straw

Д. Лучше разбогатеть торгуя соломой,° чем разориться, торгуя золотом.

Е. Лучше синица в руке, чем журавль в небе.

Ж. Тому, кто покупает, нужны сто глаз, тому, кто продаёт, ни одного.

И. Не обманешь - не продашь.

compliment

К. Тот, кто хочет продать слепую лошадь, хвалит° её ноги.

ВНЕКЛАССНАЯ РАБОТА

1. Прочтите краткую справку.
В официальной разговорной речи приняты следующие обращения:**

обращение в речи

посол	господин/госпожа посол
патриарх	Ваше Преосвященство
армейские	дорогой + ранг°
офицеры	уважаемый + ранг
губернатор	дорогой губернатор
мэр	уважаемый мэр
	господин мэр
министр	господин министр
профессор	господин профессор
президент	господин президент
вице-президент	господин вице президент
государственный советник	господин советник
председатель	господин председатель

rank

** Образование женского рода от подобных существительных не рекомендуется, так как носит стилистическую окраску. В художественной литературе, например, существительные женского рода губернаторша–жена губернатора, докторша–жена доктора, профессорша–жена профессора, офицерша–жена офицера. Таким образом, существительные мужского рода употребляются для обозначений лиц женского пола.

2. Составьте обращения к различной аудитории на основе данных предложений.

А. Флаг Российской Федерации будет развиваться отныне° над всемирно известной Выставкой достижений народного хозяйства. На её базе создаётся АО “Всероссийский выставочный центр” (ВВЦ).

henceforth

Б. Российско-австрийское СП намеревается построить бизнес-комплекс° на берегу Финского залива. В проект также входит строительство высококлассной° гостиницы, операционные залы для биржевиков и создание необходимой инфраструктуры.°

business center
high-class
infrastructure

management

limited

В. Проводится конкурс на право управлением° гостиницей "Националь." Конкурс будет проводиться в сжатые° сроки: инвестиции победителя должны оплатить задолжность по оплате.

Г. Консорциум коммерческой информации начал принимать заказы от коммерческих структур на предоставление статистической и коммерческой информации. На коммерческой основе будет предоставляться та информация, которая не является государственной тайной.

copy-protected

Д. В книжных магазинах Москвы началась продажа програмного продукта "Лексикон," созданная 7 лет назад и все эти годы не защищённая от копирования.°

ДОПОЛНИТЕЛЬНЫЙ МАТЕРИАЛ

1. Новости из России:

Банки России

strengthened

За последние несколько лет вновь появившиеся коммерческие банки окрепли° и превратились в мощный и самостоятельный элемент российской экономики. Число их достигает 2000, а вместе с филиалами составляет 4000. В основном это мелкие и крупные банки, средних же практически нет. Из 2000 существующих коммерческих банков только 15% имеет уставный капитал на сумму свыше 50 млн. рублей.

Один из старейших российских банков, Московский народный банк, был основан в 1919 году. К концу 1991 года его капитал составил 123.3 миллиона фунтов стерлингов. В 1992 году МНБ специализировался на финансировании проектов и торговых сделок, а также участвовал в операциях по продаже золота.

Государственным банком России является Центральный Банк.

Недвижимость возвращается Православной церкви

orthodox

Из 1000 церквей, находящихся в Москве, только 100 принадлежат православной° церкви в настоящий момент. Все остальные по новому законодательству должны быть возвращены° церкви вместе с прилегающими° зданиями и земельными участками.° Таким образом, Православная церковь скоро станет одним из крупнейших владельцев° недвижимостью в Москве.

returned
adjoining
plots
owners

А есть ли у вас самолет?

Частный самолёт является в России пока редкостью.° Хотя существуют фирмы предлагающие на внутреннем рынке сверхлёгкие° самолёты, рассчитанные на одного-двух пассажиров и идеальные при полётах в труднодоступной° местности.

rarity
ultra-light
difficult to reach

В ближайшее время ожидается появление на рынке 4-6 местных самолётов ЯК-112, Ил-103 и Молния. Эти модели более подходят° для бизнесменов, их салон напоминает салон комфортабельного автомобиля.

appropriate

Продаваться указанные модели будут за валюту и за рубли, и заказы на них принимаются уже сейчас. Личные самолёты для российских бизнесменов созданы по технологии Министерства авиационной промышленности с усовершенствованиями,° разработанными в новых конструкторских бюро.

improvements

Договоры, их виды, речевые особенности

Урок 13

УСТНАЯ ПРАКТИКА

Договор является результатом интенсивных деловых контактов и его составление требует пристального° внимания. Существуют типовые формы некоторых договоров, например: УЧРЕДИТЕЛЬНЫЙ ДОГОВОР, ДОГОВОР НА АРЕНДУ ЮРИДИЧЕСКОГО АДРЕСА. Некоторые заготовки° договоров используются учреждениями многократно, изменяются лишь названия сторон и некоторые условия. Предпочтительнее полностью проверить текст договора и убедиться в его приемлемости или внести необходимые исправления до подписания. Многие фирмы и бизнесмены предпочитают составлять собственные договоры.

fixed, great

prepared, form

Для большинства договоров характерна следующая схема:

1. Определение сторон°
2. Юридические адреса сторон
3. Статьи° договора
4. Подписи° сторон, число
5. Приложения°

definition of the parties

clauses

signatures

addenda

В договорах употребляется много устойчивых словосочетаний, например: именуемое в дальнейшем,° договор о нижеследующем,° указанные в пунктах договора ..., принятые по договору обязательства, по окончании действия договора и т.д. Сложные предложения длиной в абзац также весьма характерны для договоров.

herafter; following

Договоры, наряду с контрактами, являются одной из самых распространённых форм в международном делопроизводстве.° Следует всегда требовать разъяснения,° если какие-то статьи договора не понятны. Главным правилом составляемого договора должно быть не соблюдение формы, а выдвижение° всех необходимых вашей фирме условий и фиксирование° прав и обязанностей° обеих сторон. Некоторые договоры

paperwork

explanation

promotion

set, fixed

obligations

obligations
lawyers

составляются адвокатами,° если это важные международные документы, к которым предъявляются особые требования. Они отличаются более строгой формой и большим количеством терминов.

Наиболее распространёнными в деловой практике являются следующие виды договоров:

ТРУДОВОЙ ДОГОВОР
ДОГОВОР О СОЗДАНИИ СП
ДОГОВОР ПО ОБСЛУЖИВАНИЮ
ДОГОВОР НА ИСКЛЮЧИТЕЛЬНЫЕ ПРАВА
ДОГОВОР О НЕРАЗГЛАШЕНИИ
УЧРЕДИТЕЛЬНЫЙ ДОГОВОР
ДОГОВОР НА ПРАВО ПРЕДСТАВЛЯТЬ
ДОГОВОР НА ПРОДАЖУ

Договоры бывают двусторонние и многосторонние, долгосрочные и краткосрочные. Международный договор должен содержать копии на языках всех участвующих сторон.

ДИАЛОГИ

cover letter
contents

Джон: Ольга, пожалуйста отправьте эти документы с сопроводительным письмом° следующего содержания:° Согласно нашему телефонному разговору от 22 августа 1992 года, посылаем вам приложения к договору в двух экземплярах, на русском и английском языках.

Ольга: А сам договор мы посылаем?

by courier

Джон: Договор я послал по факсу, а оригинал с курьером.°

Ольга: Кстати, сегодня мы получили "Договор на аренду юридического адреса."

Джон: Мы, кажется, уже арендовали юридический адрес.

extension

Ольга: Нам надо заполнить только "Пролонгацию."° Вернее осталось только вам её вот здесь подписать.

Джон: С удовольствием.

Ольга: Юрий, а вы заметили, что праздничные° дни в новом трудовом договоре, который я сейчас копирую, другие, чем раньше. — holiday

Юрий: Неужели?

Ольга: Вот пожалуйста: Сверх еженедельных дней отдыха, нерабочими° являются праздничные дни ... включая Рождество и Пасху. — non-working (days)

Юрий: А что ещё там нового?

Ольга: Остальное всё по-старому, но кстати, "В отдельных случаях, при привлечении к работе в праздничные дни, они оплачиваются в двойном размере." Такого кажется раньше не было.

Юрий: А что это за договор?

Ольга: Трудовой договор одного из наших совместных предприятий.

Даша Семёнова встречается с Джоном Грином. Даша хочет работать в московском представительстве фирмы ГТ Лтд.

Джон: Я очень рад, что вы смогли прийти сегодня, так как на этой неделе я улетаю в США. Как вы читали в объявлении, нам нужен административный ассистент. В его обязанности входит практически управление офисом. Ольга занимается бухгалтерией, Юрий разрабатывает проекты, административный ассистент закупает канцелярские товары и оборудование, распределяет° корреспонденцию, координирует° распорядок° работы, и в общем делает всё, что необходимо. Вас интересует такая должность?° — distribute; coordinate; routine; position

Даша: Да, у меня есть опыт работы в офисе, и по-моему я справлюсь.° — cope

Джон: Вас устраивает° зарплата° предложенная в объявлении? — suite, satisfy; salary

Даша: Да, зарплата меня устраивает.

Джон: Вы конечно знаете, как пользоваться компьютером?

Даша: Я знаю несколько программ. Кроме этого я печатаю° по-английски и по-русски. — type

Джон: Давайте договоримся, что вы приступите° к работе с понедельника и первые три месяца — start trial — будут испытательным° периодом.

Даша: Хорошо.

Джон: Разрешите мне в таком случае представить вас вашим новым коллегам. Ольга, это Даша Семёнова, наш новый административный ассистент.

Ольга: Очень приятно. Юрий вышел пообедать, он будет рад с вами познакомиться.

ЗАДАНИЯ

1. Прочтите предложения и выделите речевые стандарты, характерные для договоров.

knitwear
named

А. Московское арендное трикотажное° предприятие, именуемое° в дальнейшем "Арендодатель" с одной стороны и Совместное русско-американское предприятие "...", именуемое в дальнейшем "Арендатор", заключили настоящий договор о нижеследующем... .

changes

Б. Все изменения и дополнения к настоящему договору оформляются письменным согласованием сторон.

arising
via negotiations

В. Все споры, возникшие° в связи с исполнением настоящего договора разрешаются сторонами путём переговоров,° а в случае недостижения соглашения в Государственном арбитражном суде.

enters into force

Г. Настоящий договор вступает в силу° после его подписания всеми сторонами.

signature

Д. Срок действия настоящего договора один год с момента его подписания.°

at the expiry
lengthened
conditions

Е. По истечении° указанного срока по согласованию сторон договор может быть продлён,° при продлении договора на новый срок его условия° могут быть изменены по соглашению сторон.

lessor
lessee
inseparable

Ж. Арендодатель° по акту передаёт, а Арендатор° принимает во временное владение и пользование помещение и оборудование согласно Приложению No. 1 к настоящему договору, являющемуся его неотъемлемой° частью.

3. Арендатор обязан° использовать полученное по настоящему договору имущество в соответствии с его целевым назначением.° Иное использование допускается дополнительным согласованием сторон.

required

purpose

2. Составьте трудовой договор о принятии на работу в вашу фирму, используя приведённые ниже словосочетания.

заключить договор о нижеследующем ..., принять на работу с назначением° на должность ..., выполнять указанную работу на следующих условиях ..., круг обязанностей..., установить оклад° в размере ..., сверхурочная° работа, оплачиваемый отпуск продолжительностью ..., оплата отпуска° производится ..., временная нетрудоспособность, расторгнуть договор, испытательный срок, подписать договор в двух экземплярах, вступить в силу, рассмотрение спорных вопросов

appointment

salary
overtime
vacation

3. Объясните каково содержание и значение следующих договоров: трудовой договор, договор на исключительные права, договор о неразглашении,° учредительный договор, арендный договор.

non-disclosure

4. Переведите на русский язык.

A. This agreement, effective as of the first day of ... ..., is by and between X, a corporation with its principal offices at ... and Y, a corporation with its principal offices at ... .

B. X hereby appoints Y as its exclusive representative for the sale of the products set forth in Amendment 1, attached hereto and made a part hereof.

C. Y shall use its best efforts in the development and sales promotion of the products and maintain the reputation and goodwill associated with the name and reputation of X.

D. Y is not authorized to sign contracts for the sale of the products unless written authorization is given by X to Y for the signature of the contract in advance.

E. For its services as X's representative, Y will be entitled to a comission of 15% of the net FOB amount for all sales of X's products.

F. Neither Y, nor anyone related to Y may handle, sell, promote or solicit orders for any products that compete with X's products.

5. Прочтите текст и перескажите основные условия договора.

ДОГОВОР

Московская фабрика "Красный Запад," (Фабрика), в лице директора господина Мылкина А.К. и совместное русско-американское предприятие "Интермеж, Лтд." (СП), заключили настоящий договор о нижеследующем:

1. В целях проверки потенциальной возможности сторон в долгосрочном сотрудничестве, стороны договорились о совместном производстве товаров широкого потребления.°

consumer goods

2. Обязанности сторон:

2.1. СП обязуется приобретать сырьё, отрабатывать образцы изделий, приобретать импортное оборудование и запасные части по согласованию сторон, обеспечить реализацию готовых изделий по согласованной сторонами калькуляции.

2.2. Фабрика обязуется предоставить производственные площади и оборудование, обеспечить упаковочные материалы,° предоставить складское помещение, оказывать содействие по приобретению отечественного° сырья, обеспечить транспортировку совместно производимой продукции.

packing materials
domestic

3. Порядок расчётов:

3.1. СП компенсирует затраты° фабрики, связанные с совместным производством и предпроизводственными затратами согласно счёту, выставляемому Фабрикой. Оплата счёта производится в 2-х недельный срок со дня его выставления.

expenditures

3.2. СП уплачивает Фабрике 72% от прибыли, полученной от реализации произведённых товаров широкого потребления.

3.3. СП ведёт бухгалтерский учёт и предоставляет все отчёты через 15 дней после окончания квартала.°

quarter

4. Все изменения и дополнения к настоящему договору оформляются° письменным согласованием сторон.

shall be effected

5. Юридические адреса сторон: ... .

ВНЕКЛАССНАЯ РАБОТА

1. Составьте договор по вашему выбору, используя активную лексику урока.

2. Прочтите слова и составьте с ними предложения.

условия, продлить, возобновить, обязанности, выполнение, обнаруживать, спрос, истекать (о сроке), представлять

3. Составьте словосочетания с приведёнными глаголами, образуйте новые словосочетания, следуя образцу:

продлить ⇨ продлить договор ⇨ продление договор ⇨ продлённый договор

выполнять, обнаруживать, арендовать, предоставлять, перечислить, уплачивать, обеспечивать, согласовать, исполнять, регистрировать, конвертировать, приобретать, планировать.

4. Ответьте на вопросы.

А. Какова цель заключения договора?

Б. Какие виды договоров вы знаете?

В. Какова наиболее распространённая схема договора?

Г. Что нужно иметь в виду составляя договор?

Д. Что нужно сделать прежде чем подписать договор?

Е. К каким договорам предъявляются особые требования?

Ж. О заключении каких договоров вы видели сообщения в печати в последнее время?

5. Составьте договор, заключаемый частным детективным бюро с клиентами, используя следующую информацию об услугах бюро:

Бюро предлагает:
- изучения рынка, сбор информации для деловых переговоров;
- выявление некредитоспособных° или ненадёжных° деловых партнёров;
- выявление данных° на отдельных граждан при заключении трудовых и иных контрактов;
- поиск без вести° пропавших граждан;
- поиск утраченного° имущества;
- физическая и инженерно-техническая охрана оффисов;
- обеспечение порядка в местах проведения массовых мероприятий.°

not credit worthy
unreliable
information (data)
leads
lost
media events

ДОПОЛНИТЕЛЬНЫЙ МАТЕРИАЛ

1. Медицинское обслуживание

За последние два года медицинское обслуживание в России стало включать в себя много альтернативных вариантов.

Наряду с сохранившимися государственными медицинскими учреждениями° появились частные. Многие частные учреждения организованы на базе бывших государственных. Существует также несколько совместных предприятий: американское, бельгийское, французское и немецкое.

Появились аптеки, где можно (за валюту или рубли) приобрести импортные лекарства а даже заказать нужные лекарства и получить их через несколько дней.

institutions

2. Медицинское страхование

Медицинское страхование - это государственная программа, являющаяся нововведением,° на которое уже из бюджета на 1993 год выделена° сумма в 95,264 миллиарда рублей. Предполагается ввести добровольное° и обязательное° медицинское страхование. Обеспечение населения медицинскими услугами в рамках программы обязательного медицинского страхования будет осуществляться более чем на 50% за счёт

innovation
set aside
volunteer
required

государственных ассигнований и охватит° неработающих или работающих на предприятиях, которые не могут обеспечить медицинское страхование своим работникам. Добровольное страхование финансируется за счёт предприятий и организаций, заинтересованных в охране здоровья своих работников.

Разрабатываются тарифы на медицинские услуги, которые одновременно° обеспечат рентабельность медицинских учреждений и современный уровень медицинской помощи.

Специалисты из западных страховых компаний проводят семинары с Российскими коллегами.

encompass

simultaneously

Контракты, их виды и особенности

Урок 14

УСТНАЯ ПРАКТИКА

В результате отказа от действовавшего в СССР принципа монополии внешней торговли фирмы и предприятия могут самостоятельно заключать между собой внешнеэкономические контракты.

Кроме того, существенно расширяется° сфера применения° внешнеэкономических контрактов. Традиционная купля-продажа° дополняется подрядными,° лизинговыми, факторинговыми,° агентскими, финансовыми, банковскими, инвестиционными и многими другими видами сделок.

broadens
applications
purchase and sale
subcontract; factoring

Хотя Российское законодательство не содержит определения контракта, на практике внешне-экономическим контрактом считается такой контракт, одним из участников которого является иностранное юридическое или физическое лицо и содержанием которого является пересечение° товаром (или услугами) государственной границы° или какие-либо связанные с этим операции (страхование, перевозка, расчёты).

transit
state borders

Существенными положениями контракта являются его предмет, его цена и сроки исполнения° обязательств. Кроме этого, стороны могут сами определить какие-либо иные условия как существенные. Неточности° в определении предмета контракта могут привести к признанию контракта недействительным.

period for fulfillment
inexactitudes

Центральным вопросом контракта является его цена и порядок платежей. Контракт должен содержать указание цены либо установить точный способ её определения. Наиболее распространёнными формами расчётов являются документарное инкассо° или аккредитив.

documented collection

Одним из важных аспектов контракта являются сроки его исполнения. Нарушение° сроков исполнения может привести к взысканию° штрафов,°

violation
exacting; fines

penalties; compensation
addressed

неустоек° или возмещению° убытков, связанных с неисполнением. Подобные меры обычно оговариваются° в контракте.

basis/form of delivery

Также в контракте всегда оговариваются условия поставки. В международной практике существуют различные базисы поставок° (FOB, CIF, FFS, CIP, EXW, DES), самыми распространёнными однако являются:

FOB - free on board (ФОБ)
FAS - free alongside ship (ФАС)
CIF - cost, insurance, freight (СИФ)

misinterpretation
CIF landed

Часто, чтобы избежать разногласий° в контракте фиксируются дополнительные условия, например СИФ с отгрузкой.° Подобные условия очень важны и всегда должны быть внесены в контракт до его подписания.

Контракты также могут содержать приложения и составляются и подписываются на нескольких языках участвующих сторон.

ДИАЛОГИ

В представительстве фирмы ГТ Лтд. проходит совещание.

read through
make/introduce changes
conference room

Джон: Я сделал несколько копий этого контракта и предлагаю вам его прочесть.° Если мы его получим и подпишем, то нам предстоит много работы и надо убедиться, что все пункты этого контракта правильно сформулированы. Даша, пожалуйста проверьте вариант на русском языке, а вы Ольга на английском.

Юрий: Я просмотрю приложения и спецификации оборудования.

Даша: А у нас есть этот контракт в компьютере, чтобы можно было внести исправления?°

Джон: Да, он под именем “GTCONTR” в программе Word.

Ольга: Я предлагаю встретиться через 25 минут.

Джон: Через 25 минут в конференц-зале.°

Через 25 минут совещание продолжается в конференц-зале.

Ольга: У меня есть замечание° по условиям поставки.° Если мы поставляем товар СИФ, то надо указать, какая сторона оплачивает выгрузку° товара. Если наша фирма, то тогда мы должны включить это в стоимость фрахта.°

Даша: И тогда в текст контракта мы поставим условия доставки СИФ с разгрузкой.°

Джон: Хотя общепринятое толкование условий СИФ предусматривают выгрузку покупателем.

Ольга: Конечно, логичнее им организовать выгрузку в своём порту.

Даша: Кроме того, мы не внесли в условия поставки, что поставленный нами груз нуждается в специальных условиях хранения° после выгрузки и до прибытия в пункт назначения.°

Джон: Юрий, а что вы скажите по поводу спесификаций?

Юрий: Вот здесь надо проставить° в течение какого времени действительны° эти цены.

Джон: Цены действительны до конца этого года. Что же касается условий поставки, надо отправить факс и получить согласие нашего заказчика. После этого, Даша, будьте любезны, внесите необходимые изменения в текст контракта.

observation
terms of delivery
off-loading
freight
unloading
storage
point of destination
state
valid

Джон Грин у себя в кабинете.

Даша: Господин Грин, у меня к вам вопрос.

Джон: Пожалуйста.

Даша: Поскольку в данном случае мы имеем дело с длительными поставками, надо оговорить° их распределение по отрезкам времени.° В таком случае мы можем принимать частичную° предоплату, что значительно удобнее нашему заказчику.

Джон: Включите это пожалуйста в факс. А также пожалуйста отметьте, что требования к документам, предоставляемым в банк для оплаты очень подробные,° контракт и коносамент° не должны иметь никаких расхождений.°

stipulate
time periods
partial
detailed; bill of lading
differences

manufacturer

Даша: Копию этого факса я пошлю изготовителю,° чтобы они подтвердили действительность цен до конца года в письменной форме.

Джон: Спасибо. И пожалуйста одну копию оставьте для папки "Контракты."

ЗАДАНИЯ

1. Объясните значения следующих слов.

поставщик, плательщик, пеня, грузоотправитель, грузополучатель, итого, вес брутто, вес нетто, поручитель, гарант, форс мажор.

2. Приведите примеры товара поставляемого в перечисленных ниже видах упаковки:

насыпью, наливом, навалом в мешках, в ящиках, в рулонах, в бутылках, в цистернах, в бочках, в комплектах, в тюках, в экспортной упаковке

3. Составьте краткое сообщение о заключённом контракте, используя следующие словосочетания:

заключить контракт о нижеследующем,
предоставить комплекс услуг,
предусмотреть настоящим контрактом,
номенклатура товаров,
установление и расширение контактов,
коммерческая деятельность,
информационно-рекламные мероприятия,
обеспечивать телексную и телефонную связь,
reveal *раскрыть° (что-то) третьей стороне,*
технический и коммерческий инструктаж,
согласно пункту ... настоящего контракта,
per diem *расходы по командировке (суточные,° оплата гостиницы, оплата разъездов по стране),*
compensation *комиссионное вознаграждение° от общей суммы контрактов в размере ...,*
предварительно согласовать,
mutual *обоюдная° договорённость,*
перечислить причитающиеся денежные средства,
penalty *начислять пени° в размере ...,*

4. Прочтите контракт, внесите необходимые условия вместо пропусков.

КОНТРАКТ

"____" 19__ года

Настоящий контракт заключён между фирмой ________, именуемой далее Продавцом, с одной стороны, и ________, именуемое далее Покупателем, с другой стороны на условиях, перечисленных ниже.

1. Предмет Контракта

В соответствии с настоящим контрактом Продавец продал, а Покупатель купил на условиях ________ товары в соответствии со спесификациями, являющимися неотъемлемой частью настоящего контракта.

2. Цена и Общая Сумма Контракта

Цены на товары, указанных в прилагаемых спесификациях, устанавливаются в ________. Настоящие цены фиксированные и действительны в течение 30 дней со дня подписания контракта.

Общая сумма настоящего контракта составляет

____

3. Условия Платежа

Оплата по настоящему контракту производится Покупателем в ________ путём ________ в банк Продавца по указанному ниже° адресу:

indicated below

Все расходы, связанные с банком Покупателя несёт Покупатель. Все расходы, связанные с банком Продавца несёт Продавец.

4. Срок и Дата Поставки

Товар должен быть поставлен в течение ________ с момента подтверждения о получении денег банком Продавца. Досрочная° или частичная поставка разрешается.

early

5. Качество Товара

Поставленный товар должен быть высокого качества, что подтверждается Сертификатом Качества от производителя или официальным документом о Гарантии Качества от Продавца.

6. Упаковка и Маркировка

Товар должен отгружаться в упаковке соответствующей характеру поставляемого оборудования. Продавец несёт ответственность перед Покупателем за всякого рода порчу° товара вследствие° некачественной или ненадлежащей консервации/упаковки.

damage; consequences

7. Обязанности Сторон

Приложения к настоящему контракту действительны только в том случае, если они зафиксированы в письменной форме и подписаны обеими сторонами. Приложения являются неотъемлемыми частями контракта.

Все предыдущие соглашения и переговоры между сторонами по данному вопросу, письменные или устные, прекращают своё действие и считаются недействительными.°

invalid

Ни одна из сторон не имеет права передать третьему лицу° права и обязанности по настоящему контракту без письменного согласия другой стороны.

third party

8. Форс-мажор

Стороны освобождаются от ответственности за частичное или полное неисполнение обязательств по настоящему контракту, если оно явилось следствием обстоятельств непреодолимой силы, а именно: пожара, наводнения,° землятресяния,° революции, экономических блокад, санкций и постановлений правительств и в случае, если эти обстоятельства непосредственно повлияли на исполнение контракта.

flood; earthquake

9. Арбитраж

Продавец и Покупатель примут все меры к разрешению всех споров и разногласий, могущих возникнуть из настоящего контракта или в связи с ним дружеским путём.° В случае, если стороны не могут придти к соглашению, то все споры и разногласия подлежат разрешению° в Арбитражной Комиссии в Стокгольме. Решения Арбитражной Комиссии будут являться окончательными и обязательными° для сторон.

in a friendly manner

resolution

mandatory

10. Юридические адреса сторон:

Подписи сторон:
Продавец:
Покупатель:

5. Задания к контракту

А. Ответьте на вопросы.

(1) Каковы условия оплаты по заключённому вами контракту?

(2) Каковы условия доставки по этому контракту?

(3) Какой товар вы продаёте или покупаете по заключённому вами контракту?

(4) Какой вид упаковки предусмотрен настоящим контрактом?

(5) Каковы обязанности сторон по данному контракту?

(6) Опишите какую работу вы сделали, чтобы выполнить условия данного контракта.

Б. Напишите деловое письмо с использованием данных из этого контракта.

В. Составьте телеграмму-сообщение вашему партнёру по данному контракту.

Г. Составьте приложения или спецификации к данному контракту, используя таблицу на следующей странице.

Д. Составьте диалог/телефонный разговор, используя следующие словосочетания:

(1) карго, дата отгрузки, номер контракта, номер коносамента, описание товара, число мест, вес, объём

(2) неправильная маркировка, отправить по неверному адресу, известить о дате отгрузки, повреждение груза, антикоррозийная профилактика, несмываемая маркировка, грузополучатель

6. Заполните бланки маркировки товара и спесификацию товара по данному контракту:

Контракт № ____________________
Продавец ____________________
Покупатель ____________________
Грузополучатель ____________________
delivery — Пункт назначения° ____________________
Транс № ____________________
Вес нетто ____________________
Вес брутто ____________________

Addendum No. — Between
Contract No. — and

Description	Model No.	Qty	Unit price	Total price

Time of Delivery:

Consignee:

Seller: — Buyer:
Date: — Date:

ВНЕКЛАССНАЯ РАБОТА

1. Подготовьтесь и проведите переговоры о заключении внешнеэкономического контракта. Составьте контракт, используя активную лексику урока.

2. Переведите на русский язык.

A. The lowest foreign trade prices for processed oil products shall not be below the prices for similar types of goods on the Russian domestic market.

B. The transportation of passengers and freight by all means of transport in Russia and between and among Commonwealth member-states shall be done in accordance with tariffs stipulated in bilateral (multilateral), inter-governmental agreements.

C. The Russian government shall determine all changes in prices and tariffs on products and services marketed at state regulated prices and tariffs. The list of products and services that may be offered at free market prices shall also be determined by the government.

D. When deciding on changes in regulated prices and tariffs for basic consumer goods and services, executive bodies of the republics, territories, regions and autonomous entities of Russia, as well as the cities of Moscow and St. Petersburg, shall be encouraged to take into account growth in personal incomes.

E. The Russian State Customs Committee, upon agreement of the Ministry of Foreign Economic Relations, the Ministry of Finance, and the Ministry of Fuel and Energy, shall develop and introduce new export tariff rates for energy resources, taking into account changes in domestic prices for such resources in Russia.

3. Ответьте на вопросы, используя предлагаемые словосочетания:

Что потребовала частная фирма “Маркет Уорлд” от одного из центральных банков?
(compensation for losses from payment delays)

Какова репутация этой частной фирмы?
(to delay payments intentionally, using the money to make profits)

Каков уставной капитал и чем занимается фирма?
(charter capital totalling R100,000; conduct of wholesale operations)

В чём заключалась данная сделка?
(to make several shipments of consumer goods, customers transferred payments to the account of ...)

В чём проблема?
(received only part of the amount transferred by customers from the bank; using bank credits to pay suppliers)

4. Составьте заметку для коммерческой газеты, используя приведённые ниже слова:

stimulate; criminal
prescribed
complaint
seal
not-delayed

администрация, возбудить° уголовное° дело, частные лица, контракт предписывал° покупателю, обязаться (что-то сделать), ускорить дату поставки, отказать (ся), требовать деньги назад, жалоба,° Управление Внутренних Дел, опечатать° документы, продавать несуществующий товар, незамедлительное° прибытие (товаров), возврат, необычная практика, коммерческий риск, юридические меры

5. Прочтите и составьте 5 вопросов по теме "Контракты," используя перечисленные ниже слова.

dumping
estimated
comparable

цена, базисная, бросовая,° за единицу товара, закупочная, единая, экспортная, импортная, конкурентная, крайняя, максимальная, минимальная, мировая, ориентировочная,° предлагаемая, приемлемая, рыночная, средняя, сопоставимая,° существующая, твёрдая, оптовая, розничная

ДОПОЛНИТЕЛЬНЫЙ МАТЕРИАЛ

space
undergoing; divide
taking root
adapting

1. Постсоветская космическая° индустрия становится более земной

Наряду с большей частью государственной собственности, космическая индустрия претерпевает° большие изменения: её делят° и в неё внедряются° коммерческие структуры. Несмотря на то, что существование этого сектора в экономике зависит от возможности его приспособиться° к новым условиям иностранной конкуренции и скудных бюджетных ассигнований, Верховный Совет Российской Федерации постановил предусматривать в проекте бюджетной системы Российской Федерации на очередной° финансовый год выделение ассигнований на Федеральную космическую программу России по космическим системам, комплексам и средствам научного, народнохозяйственного и оборонного значения.

В постановлении (вышедшим° в мае 1993) предусматривается разработать программу структурных преобразований° в космической науке и промышленности, включая создание федеральных космических центров на базе КБ и НИИ, а также холдинговых и акционерных компаний.

Беспрецедентные возможности для международной кооперации в этой области привлекают внимание многих стран:

Австрия заплатила миллионы долларов за то, чтобы её гражданин провёл на станции неделю;

Японский телевещательный конгломерат также истратил миллионы, чтобы послать журналиста;

Германия явилась спонсором проекта по медицинским исследованиям для Европейского Космического Агенства.

Главкосмос сейчас реорганизуется в самофинансирующуюся корпорацию по запуску° коммерческих спутников с помощью баллистических ракет, установленных на подводных лодках.°

Уже начиная с 1990 года техасская фирма успешно продавала снимки,° сделанные по заказу со спутников. Их приобретали горнодобывающие, картографические, нефтяные и экологические компании и службы. В 1992 Россия поразила мир и прежде всего экспертов из Пентагона снимками, сделанными со спутников-шпионов. Русские снимки, сделанные со спутников, являются самым совершенным продуктом, возможным на сегодняшний день.

next

released, issued

structural transformation

launch

submarines

photos

Словарь

***Note:** Not all words glossed in the margins of chapters are translated here. To limit its length, this dictionary focuses only on business or economic terms. Verbs pairs (imperfective/perfective) are indexed under the imperfective form of the verb.*

А

аббревиату́ра - abbreviation
ава́нс - advance payment,prepayment,
а́вианакладна́я - air waybill
а́виапо́чта - airmail
а́виаперево́зка - air transportation
а́виатра́нспорт - air transport
а́виафрахт - airfreight
ави́зо - letter of advice, advice notice
автопогру́зчик - truck loader, lift truck
автодоро́жный - by truck
авуа́ры - assets, holdings, deposits
аге́нство - agency
аге́нт - agent
адвока́т - attorney, lawyer
администрати́вный - administrative
администра́ция - administration
адреса́нт - consignor
адреса́т - consignee, addressee
аккредита́ция - accreditation
аккредити́в - letter of credit, L/C
аккумули́ровать/саккумули́ровать - to accumulate
аксессуа́ры - accessories
акт - certificate, statement, report, decree
акти́в - assets, holdongs, resourses
акт-извеще́ние - statement notice
акт-реклама́ция - damage claim
акце́пт - acceptance
акцепта́нт - acceptor
акци́з - excise, indirect tax
акционе́р - shareholder, stock-holder
акционе́рное о́бщество - joint-stock company
акционе́рный - joint-stock
амортизацио́нный - amortization, depreciation
амортиза́ция - amortization, depriciation
аннули́рование - cancellation, termination
антиде́мпинговый - antidumping
аппара́т - apparatus; device
аппеля́ция - appeal
апроба́ция - approbation, approval
арби́тр - arbitrator
арбитра́ж - arbitration (court)
аре́нда - lease, leasing, renting
аренда́тор - leaseholder, lessee
аре́ндный - rental, lease, leasing
арендова́ть - to rent, lease
арендода́тель - lesser
арти́кул - code number
ассигнова́ние - allocation
ассисте́нт - assistant
ассортиме́нт - assortment, variety
ассоциа́ция - association
аттеста́т - certificate
ауди́тор - auditor
аукцио́н - auction
аутра́йт - outright
аутса́йдер - outsider

Б

ба́за - base
ба́зис - basis
бала́нс - balance, financial statement
бандеро́ль - parcel post, printed matter
банк - bank
банк-инкасса́тор - collecting bank
банки́р - banker
банк-корреспонде́нт - corresponding bank
банк-кредито́р - creditor bank
банкно́та - banknote
банк-плате́льщик - paying bank
банк-ремите́нт - remitting bank
банкро́т - bankrupt
банкро́тство - bankruptcy
бараба́н - drum, barrel (packaging)
ба́ржа - barge, towed boat
ба́ртерный - barter
барье́р - barrier
безвозме́здно - free of charge
безвозме́здный - without compensation
безнали́чный - money transaction by bank transfer
безогово́рочный - unconditional
безопа́сность - safety
безо́тзывный - irrevocable
безотлага́тельный - immediate
безубы́точный - without loss

безусло́вный - unconditional
бенефициа́р - beneficiary
бесконкуре́нтный - free of competition
беспла́тно - free of charge, at no charge
беспо́шлинный - duty-free
бесприбыльный - unprofitable
би́знес - business
би́знес-ко́мплекс - business complex; trade center
билатера́льный - bilateral
би́ржа - exchange, market
биржеви́к - dealer
биржево́й - exchange
би́рка - label, tag
благоприя́тствование - preference; favor
бланк - form, application, letterhead
бо́нус - bonus
борт - board
брак - defective goods
брига́да - team
бро́кер - broker
бро́керский - broker's
брошю́ра - brochure
бру́тто - brutto
букле́т - booklet
бюдже́т - budget
бюро́ - bureau

В

ваго́н - car, waggon; carload
ваго́н-цисте́рна - tank car
ваго́н-холоди́льник - refrigerator car
ва́ловой - gross
валю́та - currency
валю́тно-фина́нсовый - monetary
валю́тный - currency
ва́куумная упаковка - vacuum pack
варра́нт - warrant
ва́учер - voucher
введе́ние - imposition
ввезти/ввози́ть - to bring to, import
ввести/вводи́ть - to introduce, impose, enforce
ввоз - import
ввозно́й - imported
веде́ние - disposal
ве́домость - list, bill, sheet. statement
ве́домство - department
веду́щий - leading
ве́ксель - promissory note, bill
величина́ - size
верфь - shipyard, wharf
вес - weight
взаи́мно - mutually
взаимовы́годный - of mutual benefit
взаимоде́йствие - cooperation, interaction
взаимозаменя́емость - interchangeability
взаимоотноше́ния - mutual relations
взаймы́ брать - borrow, давать - loan
взве́шивать/взвесить - to weigh; consider
взима́ние - collection, charge
взнос - contribution, fee, payment
взыска́ние - recovery; penalty
взы́скивать/взыска́ть - to collect, charge
взима́ть/взять - to collect, charge
взя́тка - bribe
вид - type, kind
ви́за - visa
визи́т - visit
визи́тка - business card
визи́тная ка́рточка - business card
витри́на - window
вклад - deposit, contribution
вкла́дчик - depositor, investor
вкла́дывать/вложи́ть - to return, give back
вкла́дыш - insert
владе́лец - owner, proprietor
владе́ние - proprietorship, property, possesion
владе́ть/завладе́ть - to own, possess
власть - authority
вложе́ние - investment
вмести́мость - capacity, volume, content
внаём (брать, сдавать) - hire, lease, rent
внебала́нсовый - extra-balance
внедря́ть/внедри́ть - to introduce
внешнеторго́вый - foreign trade
внешнеэкономи́ческий - foreign economic
вне́шний - external
вну́тренний - internal
внутриотраслево́й - intrabranch
внутрифо́рменная - intercompany
водонепроница́емый - waterproof
возвра́т - return, refund
возвраща́ть/верну́гь - to return, give back
возмеща́ть/возмести́ть - to compensate for
вознагражде́ние - reward, compensation
возобновле́ние - renewal, reopening
возобновля́ть/возобнови́ть - to reestablish, to renew
возро́сший - increased
восстановле́ние - recycling; rehabilitation; recharging

восстановля́ть/восстанови́ть - to establish
вполцены́ - half-price
вруче́ние - delivery
вспомога́тельный - auxilary
встре́чный - counter
входи́ть/войти́ в де́йствие - to come into force, become effective
въе́зд - entrance, entry
вы́бор - choice, assortment
вы́воз - export, taking out
вы́года - benefit, advantage, gain
вы́годность - advantage; benefit
вы́годный - beneficial, lucrative
выгружа́ть/вы́грузить - to unload, discharge
вы́грузка - discharge, offloading
выделя́ть/выдели́ть - to allocate, assign
вы́езд - departure
выездно́й - exit
вы́кладка - display
вы́куп - redemption, repayment
выкупа́ть/вы́купить - to buy out, repay
вы́писка - making out, drawing
выпла́чивать/вы́плачивать - to pay, repay, pay back
выполне́ние - execution, implementation
выруча́ть/вы́ручить - to make, gain, net
вы́ручка - receipts, proceeds
высокока́чественный - high quality
высококла́ссный - high class
высокорента́бельный - highly profitable
вы́ставка - exhibition
вы́ставка-я́рмарка - fair
выставля́ть/вы́ставить - to exhibit
вы́ставочный - exhibition
вы́чет - deduction
вя́лость (ры́нка) - depression

Г

габари́т - dimensions, measurements, size
гара́нт - guarantor
гаранти́йный - guarantee
гара́нтия - guarantee
гаранти́ровать - to guarantee, back up, support
ге́рбовый - stamped
гермети́чная - airtight
ги́бкий - flexible
гиперинфля́ция - hyperinflation
год - year
го́дный - suitable
годово́й - annual
гонора́р - honorarium
городски́е - city; municipal
госзака́з - state order
госконтро́ль - state control
госприёмка - state inspection
госуда́рственный - state
грани́ца - border
гра́фик - schedule
груз - cargo, freight
грузи́ть/загрузи́ть - to load
грузови́к - truck
грузовладе́лец - cargo owner
грузовмести́мость - cargo capacity
грузово́й - freight, cargo
грузооборо́т - cargo turnover
грузоотправи́тель - consignor, shipper, sender
грузоподъёмник - load-lifter
грузоподъёмность - load-lift capacity
грузополуча́тель - consignee, receiver

Д

давле́ние - pressure
да́та - date
да́нные - data
двойно́й - double, twofold
двусторо́нний - bilateral
де́бет - debit
де́бет-нот - debit note
дебетова́ть - debit, charge
де́битор - debtor
девальва́ция - devaluation
девальви́ровать - to devaluate
дегуста́ция - tasting
дедве́йт - deadweight
де́йственный - effective
де́йствие - action, operation, effect
де́йствовать/заде́йствовать - to operate, act
де́йствующий - operating, ruling, working
деклара́ция - declaration
деклари́ровать/задеклари́ровать - to declare
делега́т - delegate
делега́ция - delegation
деле́ц - dealer, businessman
дели́вери-ордер - delivery order
дели́мый - divisible
дели́ть/раздели́ть - to divide
де́ло - business, affair, undertaking
делово́й - business
делопроизво́дство - paperwork

демза́л - showroom
демонополиза́ция - demonopolization
демонстрацио́нный - demonstration
демонстра́ция - demonstration
демонстри́ровать/продемонстри́ровать - to demonstrate
демонта́ж - disassembly, dismantling
демонти́ровать - to disassemble
де́мпинг - dumping
де́мпинговый - dumping
денационализа́ция - denationalization
де́нежный - monetary
деномина́ция - denomination
денонси́ровать - to denounce
де́ньги - money, currency, funds
депози́т - deposit
депони́рованный - deposited
депони́ровать - to deposit, lodge
депо́рт - deport
депре́ссия - depression
держа́тель - holder
дестабилиза́ция - destabilization
дета́ль - part, detail
дефе́кт - defect
дефици́т - deficit
дефля́ция - deflation
деформа́ция - deformation, distortion
дешёвый - cheap
де́ятельность - activity
дивиде́нт - dividend
диза́йн - disign
ди́лер - dealer
ди́лерские - dealership
динами́чный - dynamic
диплома́т - diplomat
директи́ва - directive, guidelines
дире́ктор - director
директора́т - directorate, management
дире́ктор-администра́тор - director of administration
дире́ктор-распоряди́тель - managing director
дисбала́нс - imbalance
диске́та - diskette
дисконти́рование - discounting
дисконти́ровать - discount
дискримина́ция - discrimination
диспа́ч - dispatch
диспле́й - display
дистрибью́тер - distributor
дисципли́на - discipline
дли́тельность - duration
доба́вочный - additional
дове́ренность - proxy
догова́риваться/договори́ться - to negotiate
догово́р - agreement
доказа́тельство - proof, evidence
докуме́нт - document
документа́ция - documentation
документи́ровать - to document
долгова́я распи́ска - promissory note
долгосро́чный - long - term
должни́к - debtor
до́лжность - job, position
до́ля - share, part, stake, allotment
допла́та - additional charge
допла́чивать/доплати́ть - to pay the difference
допоста́вка - additional delivery
до́пуск - admission, access
до́пускать/до́пустить - to access
допусти́мый - acceptable
дорогосто́ящий - expensive
доро́жный - travellers
досмо́тр - exanimation, inspection
досро́чно - ahead of schedule
доста́вка - delivery
доставля́ть/доста́вить - to deliver
до́ступ - access
дохо́дный - profitable
доче́рний - subsidiary, branch
дружелю́бный - friendly
дублика́т - duplicate

Е

еврова́лю́та - Eurocurrency
еврочéки - Eurocheques
едини́ца - unit
единогла́сно - unanimously
еди́ный - united
ежего́дный - yearly
ежедне́вный - daily
ежекварта́льный - quarterly
ежеме́сячный - monthly
еженеде́льник - weekly

жа́лоба - complaint
жиро́ - endorsement
журна́л - magazine

З

забасто́вка - strike
заблаговре́менно - in advance

заве́дующий - chief
заверша́ть/заверши́ть - to complete
заверя́ть/заве́рить - to assure; certify
зави́сеть - to depend on
заво́д - plant, factory
заво́д-изготови́тель - manufacturer
заво́д-поста́вщик - supplier
завыша́ть/завы́сить - to overstate, increase
загрworld
заграни́чный - foreign
загружа́ть/загрузи́ть - to load
зада́ние - assignment
зада́ток - advance payment, deposit
задержа́ние - detention, arrest
заде́рживать/задержа́ть - to delay, postpone
заде́ржка - delay
задо́лжность - debt, liability
заём - loan
заёмщик - borrower, loan-subscriber
займода́вец - lender, creditor
займодержа́тель - loan holder
займополуча́тель - borrower
зака́з - order
зака́з-спесифика́ция - specification of an order
закладна́я - mortgage, bond
заключа́ть/заключи́ть - to conclude
заключи́тельный - final, closing
зако́н - law
зако́нный - legal
законода́тельный - legislative
законода́тельство - legislation
заку́пка - purchase
закупа́ть/закупи́ть - to purchase
заме́на - replacement
замени́тель - substitute; surrogate
замести́тель - deputy
замеча́ние - remark, note
замора́живание - freezing
занима́ть/занять - to borrow; to occupy
заокеа́нский - overseas
запа́с - supply, stock
запасно́й - spare
запеча́тывать/запеча́тать - to seal
за́пись - entry, record
запре́т - prohibition; embargo
запро́с - inquiry, request
запча́сти - spare parts
зараба́тывать/зарабо́тать - to earn
зарегистри́рованный - registered
зарпла́та - salary, wages
зарубе́жный - foreign
заседа́ние - conference, meeting
засто́й - stagnation
затра́та - expense
зая́вка - application
заяви́тель - applicant
заявле́ние - notice, notification, statement
заявля́ть/заяви́ть - to declare, state
зо́на - zone

И

идентифика́ция - identification
извеща́ть/извести́ть - to advise, inform
извеще́ние - notification
изготови́тель - manufacturer
изда́ние - publication
изде́лие - article,
изли́шний - excess
изменя́ть/измени́ть - to change, modify
измере́ние - measurement
изно́с - wear, depreciation
изобрета́ть/изобрести́ - to invent
изуча́ть - study
изыма́ть/изъя́ть - to withdraw
и́мидж - image
и́мпорт - import
импорти́ровать - to import
иму́щество - property, assets
инаугура́ция - inauguration
инвалю́тный - currency
инвента́рный - inventory
инве́стор - investor
инвести́ровать - invest
инвести́ции - investments
и́ндекс - index
индивидуа́льный - individual
индустри́я - industry
инжене́р - engineer
инка́ссо - encashment, collection
институ́т - institute, organization
инструкта́ж - instructing, briefing
инстру́кция - directions; manual
инструме́нт - instrument, tool
интегра́ция - integration
интенси́вность - intensity
интерва́л - interval
интервью́ - interview
инфля́ция - inflation
инфрасктрукту́ра - infrastructure
информа́ция - information
иск - claim; suit
исключа́ть/исключи́ть - to exclude
исключи́тельные - exclusive
иску́сственный - artificial
исполне́ние - fulfillment

исполни́тельный - executive
испо́льзование - usage, utilization
исправле́ние - correction
испра́вный - working
испыта́ние - test, trial
испыта́тельный - trial; evaluation
иссле́дование - research
истека́ть/исте́чь - to expire
исте́ц - plaintiff
истече́ние - expiration
исто́чник - source
исчисле́ние - calculation
ито́г - the total, result
ито́говый - final

K

ка́бельное - cable; wire
ка́дры - personnel, staff
ка́зна - treasury
калькули́ровать - calculate
калькуля́ция - calculation
кампа́ния - campaign
камнеперераба́тывающий - stoneprocessing; stonefinishing
кантова́ть - to turn over, tilt
канцеля́рия - office
канцеля́рский - office, clerical
капита́л - capital
капитализи́рованный (недостаточно) - undercapitalized
капиталовложе́ния - capital investments
ка́рго - cargo
ка́ртель - cartel
ка́ртотека - files, records
ка́рточка - card
ка́ртридж - cartridge
ка́сса - cash register
касса́ция - cassation, annulment
касси́р - cashier
ка́ссовый - cash
катало́г - catalog
ка́чество - quality
квалифика́ция - qualification
квалифици́рованный - qualified
кварта́л - quarter
квита́нция - receipt
кво́та - quota
кинорекла́ма - film advertising
класс - class
классифика́ция - classification
классифици́ровать - to classify
клеймо́ - trademark
клие́нт - client
клип - clip
клиенту́ра - clientele
кли́ринг - clearing
код - code
коди́рование - coding
колеба́ться/поколеба́ться - to range, vary
колле́га - colleague
коли́чество - quantity
команди́ровать/скоманди́ровать - to send, delegate
командиро́вочные - travel (expenses)
комбина́т - production enterprisese
комбина́ция - combination
комиссио́нные - commission
коми́ссия - committee
комите́нт - customer, principal
коммерса́нт - businessman, merchant
комме́рция - commerce
комме́рческий - commercial
коммуника́ции - communications
коммунике́ - communique
компа́ния - company
компенса́ция - compensation
компаньо́н - partner
компете́нция - competence
ко́мплекс - complex
компле́кт - set
комплектова́ть/укомплектова́ть - complete, make up
компоне́нт - ingredient; component
компроми́сс - compromise
компью́тер - computer
конве́нция - convention
конве́рсия - conversion
конверта́ция - convertability
коне́чный - final
конкуре́нт - competitor
конкурентоспосо́бность - competitiveness
конкуре́нция - competition
конкури́ровать - to compete
ко́нкурс - contest
консе́рвы - canned products; preserves
консигна́ция - consignment
коноса́мент - bill of lading
консолиди́ровать - consolidate
консо́рциум - consortium
конструи́ровать - construct, design
консульта́нт - consultant
консульта́ция - consultation
конта́кт - contact
конте́йнер - container
континге́нт - quota, contingent

конто́ра - office
контраге́нт - counterpart
контра́кт - contract
контрассигна́ция - countersign
контрме́ра - couner-measure
контроли́ровать/проконтроли́ровать - control
контроллёр - inspector, supervisor
контро́ль - control; audit
контроффе́рта - counter-offer
контрпредложе́ние - counter-offer
конфеденциа́льный - confidential
конфере́нц-зал - conference room
конфиска́ция - confiscation
концентра́ция - concentration
конце́пция - concept
конце́рн - concern
конце́ссия - concession
конъюнкту́ра - conjuncture
коопера́ция - cooperation
координа́ция - coordinatior
координи́ровать - to coordinate
ко́пия - copy
корпора́ция - corporation
корреляцио́нный - correlation
корреспонде́нт - correspondent
коти́рование - quoting
коэффицие́нт - ratio, coefficient
кратковре́менный - short-term
креди́т - credit
креди́т-ави́зо - credit advise
креди́тно-де́нежный - monetary
кредитоспосо́бный - creditworthy
крите́рий - criteria
круи́з - cruise
крупномасшта́бный - large-scale
купо́н - coupon
ку́пчая - bill of sale
купю́ра - denomination
куррье́р - courrier
курс - rate
куста́рный - handicraft

Л

ла́йнер - airliner
легализа́ция - legalization
лега́льный - legal
ле́нта - tape
либериза́ция - liberalization
ли́зинг - leasing
ли́зинговый - leasing
ликвида́ция - liquidation
ликвиди́ровать - to liquidate
ликви́дный - salable, liquid
ликви́ды - liquid assets, funds
лими́т - limit
лимити́ровать - to limit, restrict
лицево́й - personal (account)
лицензио́нный - licensed
лице́нзия - license
лицо́ - party, person
ли́чно - personally
лока́льный - local
лот - lot
лото́к - pallet
лу́мпсу́м фрахт - lump sum freight
льго́та - privilege, advantage

М

магази́н - shop
маке́т - make up; model
ма́клер - make up, model
максима́льный - maximum
малоёмкий - of small capacity
малоо́пытный - inexperienced
малопри́быльный - low profit
манифе́ст - manifest
ма́рджин - margin
ма́ржа - margin
ма́ркетинг - marketing
ма́ркетинг дире́ктор - marketing director
маркирова́ть - to mark
маркиро́вка - marking, labeling
ма́рочный - brand-name
маршру́т - itinerary
ма́сса - mass, weight
ма́ссовый - media
мастерска́я - workshop
масшта́б - scale
материалоёмкий - material-intensive
материа́лы - materials
материа́льный - material
ма́тричный - matrix
медици́нская - medical
межба́нковский - inter-bank
межгосуда́рственный - interstate
междугоро́дный - long-distance, inter-city
междунаро́дный - international
межотраслево́й - intersectoral
мелкомасшта́бный - small-scale
мемора́ндум - memorandum
ме́на - barter, change
ме́неджер - manager
ме́ра - measure
мероприя́тие - activity; event
ме́стный - local

местонахожде́ние - site, location, position
местоположе́ние - site, location
месторожде́ние - deposit
ме́сячный - monthly
металлоёмкость - metal consumption
ме́тка - mark
ме́тод - method
мето́дика - methods, procedure
метра́ж - metric size
метри́ческий - metric
механи́зм - mechanism
межотраслевы́е - inter-sectoral
минера́льные - mineral
минима́льный - minimum
министе́рство - ministry
многокра́тный - numerous
мо́дем - modem
модифика́ция - modification
моне́та - coin
монета́рный - monetary
монопо́лия - monopoly
монта́ж - assembly, mounting
мо́щность - capacity, power, output
мультивалю́тный - multicurrency
муниципа́льный - municipal
мэ́нэджмент - management

Н

набавля́ть/наба́вить - to add; increase
набо́р - set, assortment
нава́лом - in bulk
нагружа́ть/нагружи́ть - to load
надба́вка - increase, surcharge
надёжность - reliability
на́дпись - inscription
наём - lease, hiring
назнача́ть/назначи́ть - to appoint; quote
назначе́ние - appointment; destination
наименова́ние - name
накладны́е (расходы) - overhead expenses
накле́ивать/накле́ить - to paste
накле́йка - label
налага́ть/наложи́ть - to impose
нала́дка - adjustment
нала́живать/нала́дить - to establish; adjust
нала́живание - establishment, adjustment
нали́вом - in tanks
нали́чие - presence, availability
нали́чность - cash on hand
нали́чные - cash on hand
нало́г - tax
налогообложе́ние - taxation
налогоплате́льщик - tax payer
наме́рение - intent
нанима́тель - employer
нанима́ть/наня́ть - to hire
направля́ть/напра́вить - to refer, address
напряму́ю - directly
нара́щивать/нарасти́ть - to build up, increase
наро́сший - accrued
наруша́ть/наруши́ть - to violate
наруше́ние - violation
наря́д - order
на́сыпью - in bulk
насыще́ние - saturation
наце́нка - extra charge, mark up
национа́льный - national
нача́льный - initial, start-up
начисле́ния - receivables
начисля́ть/начи́слить - to charge, calculate
неакце́пт - non-acceptance
невостре́бованный - unclaimed
невы́купленный - unredeemed
невыполне́ние - non-execution, non-performance
негабари́тный - oversized
недви́жимость - real estate
недои́мка - arrears
недооце́нка - under-estimation
недопла́та - under-payment
недопла́чивать/недоплати́ть - to underpay
недоста́ток - need; drawback
недоста́ча - shortage, difficiency
недосту́пный - inaccessible
незадеклари́рованный - undeclared
незако́нность - illegality
незапако́ванный - unpacked
незапатенто́ванный - unpatented
неиме́ние - lack, absence
неисполне́ние - non-execution
некомме́рческий - non-commercial, non-profit
некомпле́ктный - incomplete
неконверти́руемый - unconvertible
некондицио́нный - off-grade
неконкуре́нтный - noncompetitive
нелега́льный - illegal
неликви́дный - unmarketable
нелимити́руемый - unlimited
ненадёжный - unreliable
необрабо́танный - crude, raw, unprocessed
неограни́ченный - unlimited; full

неопла́та - default, non-payment
неотъе́млемая - inalienable, inseparable
неплате́льщик - defaulter
неплатёжеспосо́бность - not credit worthy
неподтверждённый - unconfirmed
непо́ртящийся - non-perishable
нерабо́чие (дни) - days off
нерасфасо́ванный - not prepacked
нерента́бильность - unprofitability
несоотве́тствие - discrepancy
несостоя́тельность - bancruptcy, insolvency
нестаби́льность - instability
нетари́фный - non-tariff
нето́чность - discrepancy
нетрудоспосо́бность - disability
не́тто - netto
неупла́та - non-payment
неусто́йка - penalty
неусто́йчивость - instability
нехва́тка - deficiency
низкосо́ртный - low-grade
нижеслéдующий - enclosed below
нова́ция - renewal
нови́нка - novelty
номенклату́ра - nomenclature
но́мер - hotel room; number
номина́л - nominal value
нормати́в - standard
нотариа́льный - notarial
нота́риус - notary
но́тис - notice
нотифика́ция - notification
но́у-ха́у - know-how

О

обанкро́тившийся - bankrupt
обанкро́титься - to go bankrupt
обёртка - wrapper, cover
обёрточный - wrapping
обеспече́ние - maintenance; guarantee
обеспе́ченность - security
обеспе́нивать/обеспе́нить - to depreciate
обжа́ловать - appeal against
обзо́р - review, survey
обка́тка - running
облага́ть/обложить - to impose a tax
облада́тель - owner, holder
о́бласть - region, area; field
облига́ция - bond
обложе́ние - taxation, imposition
обме́н - exchange; conversion
обме́нивать/обменя́ть - to exchange, barter; to convert
обме́р - measurement
обновле́ние - renewal, modernization
обозна́ченный - marked
оборо́т - turnover; circulation
обору́дование - equipment
обору́довать - to equip, outfit
обоснова́ние - justifications; substantiation
обраба́тывать/обработать - to process
обрабо́тка - treatment; processing
образе́ц - sample; model; make
обрати́мость - convertability
обрати́мый - convertible
обра́тный - return
обраща́ться/обрати́ться - to address, apply to
обраще́ние - address, approach
обслу́живание - service
обслу́живать/обслужи́ть - to service, serve
обсужда́ть/обсуди́ть - to discuss; consider
общегосуда́рственный - nationwide
общепри́знанный - generally acknowledged
общепри́нятый - generally accepted
обще́ственный - public
о́бщество - society; акционерное ~ - shareholders'/joint-stock company
о́бщий - general; common
объедине́ние - amalgamation, association
объединя́ться/объедини́ться - to unite; to join
объе́кт - object; project
объекти́вный - objective; fair
объём - volume
объёмный - volume
объявле́ние - announcement; advertisement
объявля́ть/обяви́ть - to announce
обяза́тельство - obligation; commitment; liability
овердра́фт - overdraft
огнесто́йкий - fireresistant
огова́ривать/оговори́ть - to stipulate
огово́рка - clause, provision
ограниче́ние - restriction; restraint
ограничивать/ограничить - to limit
односторо́нний - unilateral
одобря́ть/одо́брить - to approve
оживля́ть/оживи́ть - to revive
оздоровле́ние - recovery
ока́зывать/оказа́ть - to render, provide
оконча́тельный - final
округля́ть/округли́ть - to round (figures)
окупа́емость - recoupment, return on invest-

ment
окупа́ться - to recoup one's investment
опе́ка - trusteeship
опера́ция - operation, transaction
опеча́тка - misprint
опеча́тывать/опеча́тать - to seal, stamp
описа́ние - description, specification
опи́сывать/описа́ть - to describe
о́пись - inventory
опла́та - payment
оповеща́ть/оповести́ть - to notify
опломби́ровать - to seal-off (i.e. premises)
опозда́ние - delay
определе́ние - definition; determination; decision
опцио́нный - optional
о́пыт - experience
о́пытный - experienced; experimental
организа́ция - organization
о́рдерный - order
оригина́л - original
ориента́ция - orientation
ориентиро́вочный - provisional, approximate
осва́ивать/осво́ить - to master; develop
освобожда́ть/освободить - to free, release
освое́ние - development
осложня́ть/осложни́ть - to complicate; aggravate
осмо́тр - inspection; survey
оснаща́ть/оснасти́ть - to equip
осно́ва - basis, foundation
оста́ток - balance
осуществля́ть/осуществи́ть - to carry out
отбо́рный - selected
отбрако́вка - sorting out
отверга́ть/отве́рнуть - to turn down, reject
отве́с - weight certificate
отве́т - answer, reply
отве́тственность - responsibility; liability
отве́тчик - defendant
отгружа́ть/отгрузи́ть - to ship, load
отгру́зка - shipment
отгру́зочный - shipping
отде́л - department, office, division
отде́лывать/отде́лать - to finish
оте́чественный - domestic
о́тзывной - revocable
отклоня́ть/отклони́ть - to decline, reject; refuse, deny
отме́на - abolition; cancellation
отме́тка - mark; clause; note, notation
отмеча́ть/отме́тить - to mark; note
относи́ть/отнести́ - to charge, debit
отправи́тель - consignor, sender
отправля́ть/отпра́вить - to consign, send
о́трасль - branch, field, line
отсортирова́ть - sort out
отсро́чка - delay
отступа́ть/отступи́ть - to step back
отступны́е - compensation
отсчи́тывать/отсчита́ть - to count
отто́к - outflow
отфрахто́вывать - to let to freight
отчёт - report, statement
отчисле́ние - deduction; fee; allocation, assignment
отчисля́ть/отчи́слить - to deduct; assign
отчи́тываться - to report, give an account of
оферéнт - offerer
офе́рта - offer
о́фис - office
оформле́ние - preparation, execution, issuing
оформля́ть/офо́рмить - to process
оффшо́рные - off-shore
оценённый - appraised, assesed
оце́нивать/оце́нить - to estimate, value, appraise
оце́нщик - appraiser
очерёдность - sequence, succession, order

П

па́блик реле́йшнз - public relations
павильо́н - pavilion
па́дать/упа́сть - to drop, fall
паде́ние - fall, decline; recession
пай - share
па́йщик - shareholder
пакга́уз - warehouse, storage
паке́т - package, bag, parcel
пакова́ть/упакова́ть - pack
пала́та - chamber
палле́т - pallet
па́мятка - reminder
па́пка - binder; file; folder
пара́граф - paragraph
пара́метр - parameter
парите́тный - parity
па́ртия - consignment; shipment; lot
партнёр - partner
па́рцель - parcel
па́сспорт - passport
асси́в - liabilities
пате́нт - patent
пате́нт-анало́г - corresponding patent

патéнтный - patent
пáчка - pack, package
п éня - penalty
первоистóчник - primary source
первоначáльно - originally
первоочереднóй - primary, priority
переадресóвка - readdressing
перебóй - failure
перевáлочный - transit
перевóд - transfer; translation
переводи́мый - transferable
переводи́ть/перевести́ - to transfer, remit; translate
перевóзка - transportation, carrying, shipping
перевыполня́ть/перевы́полнить - to overfulfill
переговóры - negotiations, discussion
перегружáть/перегрузи́ть - to tranship, reload
перегрýзка - transhipment
передáча - transfer, submission; broadcast
передéлывать/передéлать - to re-design
перезаключáть/перезаключи́ть - to renew
перелёт - flight
перелóм - turning point
перемаркирóвка - remarking
переноси́ть/перенести́ - to carry; bring forward
переоборýдовать - to re-equip
переотпрáвка - reforwarding
переоцéнивать/переоцени́ть - to overestimate
перепечáтка - reprint
переплáта - overpayment
перепроверя́ть/перепровéрить - to cross-check
перепродáжа - resale
перепрофили́рование - change of profile
перерабóтка - processing
перераспределя́ть/перераспредели́ть - to redistribute
перерасхóд - overspending
пересмáтривать/пересмотрéть - to revise, reconsider
пересортировáть - to rearrange, re-sort
перестрáивать/перестрóить - to reorganize; reshape
перестраховáние - reinsurance
перестрóйка - reorganization
пересчёт - recalculation; conversion
пересы́лка - transmission, forwarding
перечисля́ть/перечисли́ть - to remit; transfer; list
перехóд - transition; transfer
периоди́ческий - periodical, recurrent
персонáл - personnel, staff
перспекти́ва - perspective; possibilities
печáть - seal, stamp
печáтный - printed; published
пик - peak
письмó-довéренность - power of attorney
платёж - payment, settlement
платёжеспособность - credit-worthiness
плательщик - payor
платфóрма - platform
плодотвóрный - fruitful
плóмба - seal
повéренный - agent; attorney, counsel
повседнéвная - everyday
повышáть/повы́сить - to increase, raise
погашáть/погáсить - to repay, redeem, settle; cover
поговóрка - proverb
погрýзка - loading, shipment
подбóр - matching; choosing
поддéлывать/поддéлать - to falsify, fabricate
поддéрживать/поддержáть - to support; maintain
поддóн - pallet
подéржанные - secpnd hand
пóдлинник - original
пóдлинность - authenticity
подóбные - similar; this kind of
подпи́санный - signed
пóдпись - signature
подпи́сывать/подписáть - to sign
подпи́ска - subscription; bond
подразделя́ть/подраздели́ть - to subdivide
подрóбности - details
подря́д - contract
подря́дчик - contractor
подскáкивать/подсочи́ть - to skyrocket
подсчёт - estimate; calculation
подтверждéние - confirmation
подхóд - approach; access
покрывáть/покры́ть - to cover; pick up the bill, pay for
пóлис - policy
полномóчие - authority; commission
полноцéнный - of full value
полугодовóй - semi-annual, biannual
полуфабрикáты - semi-finished products
получáтель - consignee
полцены́ - half-price
пóльзоваться/воспóльзоваться - to use

поощре́ние - encouragement
поощря́ть/поощри́ть - to encourage
поме́сячно - monthly
поме́ха - obstacle, obstruction
помеча́ть/поме́тить - to mark
помеще́ние - space; room
поро́жний - empty
по́рто-фра́нко - free port
поручи́тель - guarantor
поручи́тельство - guarantee
по́рция - portion
по́рча - damage
поря́дковый - ordinal; consecutive
поря́док - order; arrangement
после́довательность - succession; consistency
посре́дник - middleman, broker; arbitrator
посре́дничество - mediation
поста́вка - delivery
поставля́ть/поста́вить - to deliver
поставщи́к - supplier
постановле́ние - resolution
поступа́ть/поступи́ть - to come in; deal with
поступа́ющий - incoming
поступи́вший - received
поступле́ние - receipt, arrival
посу́точно - every 24 hours
потенциа́л - potential
потенциа́льный - potential
поте́ря - loss
потреби́тель - consumer
потребле́ние - consumption
потребля́ть/потреби́ть - to consume, demand
потре́бность - requirement; demand
по́шлина - duty, tariff
пошту́чно - by item
пра́вило - rule; regulation; custom
пра́во - right, authority; law
правово́й - legal
правоме́рный - proper, lawful
правонаруше́ние - violation of the law
правоохрани́тельный - law-enforcement
правоприёмник - successor
правосу́дие - justice
прайм-райт - prime rate
превали́рующий - prevailing
превосходи́ть/превзоити́ - to exceed; outweigh
превыша́ть/превы́сить - to exceed
предвари́тельный - preliminary
предлага́ть/предложи́ть - to offer
предопла́та - advance payment
предоставля́ть/предоста́вить - to provide; supply
предохраня́ть/предохрани́ть - to protect
предписа́ние - introduction
предпринима́тель - entrepreneur
предпринима́тельство - enterprise
предприя́тие - enterprise
предпроизво́дственный - pre-production
председа́тель - chairman
представи́тель - representative
представля́ть/предста́вить - to present; submit; introduce
представи́тельство - representational office, affiliate
предъяви́тель - bearer
прее́мственность - continuity
презента́ция - presentation
прези́диум - presidium
преиму́щественный - preferential
прейскура́нт - price-list
пре́мия - premium; bonus
пре́сс-рели́з - press release
пре́ссинг - pressing
пресс-центр - press-center
прести́жный - prestigous
претенде́нт - claimant
прете́нзия - claim; complaint
преувели́чивать/преувели́чить - to exaggerate
преуменьша́ть/преуме́ньшить - to underestimate
префере́нция - preference
прецеде́нт - precedent
приба́вка - extra (charge)
при́быль - profit, income
приватиза́ция - privatization
привиле́гия - privilege
привлека́ть/привле́чь - to attract; get someone involved
приго́дность - suitability; applicability
прие́млемый - acceptable
признава́ть/призна́ть - to recognize, acknowledge
призна́ние - recognition, acknowledgement
призна́тельность - appreciation
приорите́т - priority
прикладно́е - decorative
приложе́ние - appendix; supplement; enclosure
при́нтер - printer
приобрета́ть/приобрести́ - to acquire
приорите́т - priority
приро́ст - growth, increase
прихо́д - receivables

про́ба - test; standard
прогнози́руемый - predicted
прого́н - cycle; run
програ́мма - program; software
программи́рование - programming
продлева́ть/продли́ть - to extend, prolong
продолжи́тельность - duration
продукти́вность - efficiency
проду́кция - products; produce
прое́кт - project; draft
производи́ть/произвести́ - to manufacture, produce; make
произво́дство - manufacturing; manufacturing facility
происхожде́ние - origin
прока́т - hire; rent
прокла́дка - insulation, lining
пролонга́ция - prolongation, extension
промы́шленный - industrial
пропа́жа - loss
пропорциона́льный - proportional
просро́чка - delay; exceeding of the time
просчёт - miscalculation, error
просчи́тывать/просчита́ть - to count, calculate
про́сьба - request
протестова́ть/опротестова́ть - to appeal; protest
протоко́л - protocol, record, minutes
профилакти́ческий - preventive
профо́рма - pro forma
процеду́ра - procedure
проце́нт - percent, percentage; interest
пуск - start-up
пу́ско-нала́дочный - adjustment, start-up

Р

работода́тель - employer
радиорекла́ма - radio advertising
разглаша́ть/разгласи́ть - to disclose
разгружа́ть/разгрузи́ть - to unload, off-load
разделя́ть/раздели́ть - to divide, split
разли́чие - discrepancy
разма́х - spread
разме́н - exchange
разме́нивать/разменя́ть - to change, exchange
разме́р - size; dimensions
размора́живать/разморози́ть - to unfreeze
разноря́дка - distribution list
разнови́дность - variety
разногла́сие - disagreement
разнообра́зие - diversity
разо́бранный - disassembled
ра́зовый - disposable
разори́вшийся - broke
разрабо́тчик - developer
разра́внивание - trimming (shipment)
разря́д - category
райо́н - region
ра́мбурс - reimbursement
распако́вывать/распакова́ть - to unpack
расписа́ние - timetable
распи́ска - receipt; warrant
распи́сываться/расписа́ться - to sign, undersign
распла́та - payment
распла́чиваться/расплати́ться - to pay, settle, acquit
расположе́ние - disposition; location
распоря́док - routine, schedule
распоряжа́ться/распоряди́ться - to give orders, be in charge
распределе́ние - distribution
распредели́тель - distributor
распределя́ть/распредели́ть - to distribute
распродава́ть/распрода́ть - to sell out (usu. at a discount)
распрода́жа - sale
распро́данный - sold out
рассортиро́вка - classification, sorting out
рассортиро́вывать/рассортирова́ть - to sort out
рассро́чивать/рассро́чить - to spread out (over time)
рассро́чка - installment plan
рассчи́тывать/рассчита́ть - to calculate; depend upon
рассы́лка - dispatch
расти́/возрасти́ - to increase
расторга́ть/расторгну́ть - to terminate
растра́та - embezzlement
расфасо́вка - packaging
расхо́д - expense; charge; cost
расхо́довать/израсхо́довать - to spend; consume
расце́нивать/расцени́ть - to estimate, appraise
расце́нка - evaluation; value; pricing; rating
расчёт - payment transactions; account, bill
расчётный - checking; accounting
расширя́ть/расши́рить - expand, broaden
ратифици́ровать - ratify
рационализи́ровать - innovate
реализа́ция - sales, marketing

реализо́вывать - to sell, market; realize; implement
реа́льный - actual; practical
ревальва́ция - revaluation
ревизио́нно-контро́льный - auditing controlling (department)
ревизио́нный - auditorial
реви́зия - inspection, auditing
ревизо́р - auditor, controller
региона́льный - regional
реги́стр - register, directory
регистра́ция - registration
регистри́ровать/зарегистри́ровать - to register
реги́стровый - register
регламенти́ровать - to regulate
регре́сс - setback
регре́ссный - recourse
регули́ровать/отрегули́ровать - to regulate, adjust, control
режи́м - regime, schedule
резе́рв - reserve, stock, supply
резерви́ровать/зарезерви́ровать - to reserve, book
резолю́ция - resolution,
резюме́ - resume, summary
реимпорт - re-import
рейс - flight; trip
ре́йтинг - rating
реквизи́ция - confiscation, seizure
рекла́ма - advertisement, promotion
реклама́ция - claim, complaint
рекла́мный - advertising
рекламода́тель - advertiser
рекоменда́ция - recommendation, reference
рекомендова́ть/зарекомендова́ть - to recommend
реконве́рсия - reconversion
реконструи́ровать - to reconstruct
реми́ссия - remission
ремите́нт - remitter
ремити́ровать - to remit
ремонти́ровать/отремонти́ровать - to repair
ренова́ция - renovation
ре́нта - rent
рента́бельность - profitability
реорганиза́ция - reorganization
репатрии́ровать - to repatriate
репо́рт - carry-over, report
репрезентати́вный - representative
репресси́вный - repressive
репута́ция - reputation
реститу́ция - restitution
рестри́кция - restriction
ресу́рсы - resources
рето́рсия - retorsion
рету́р - re-draft
рефере́нция - reference
рефинанси́ровать - refinance
рефо́рма - reform
рефрижера́тор - refrigerator
рецензе́нт - reviewer
реце́нзия - review
реце́ссия - recession
ре́экспорт - reexport
ри́скоинвестиции - risk investments
ро́зница - retail
ро́зничный - retail
ро́лик - commercial, videoclip
ро́ссыпью - in bulk, not packed, loose
ростовщи́к - money lender
ро́ялти - royalty
руча́ться/поручи́ться - to guarantee, ensure
ры́нок - market
ры́ночный - market, commercial

С

са́льдо - balance
самообеспе́ченность - self-sufficiency
самоокупа́емость - self-repayment
самопогру́зка - self-loading
самостоя́тельность - self-reliance, independence
самоуправле́ние - self-management
самофинанси́рование - self-financing
сбавля́ть/сба́вить - to take off, discount
сбаланси́ровать - to balance
сберега́тельный - savings (account)
сбереже́ние - savings
сбор - collection; meeting
сбыва́ть/сбыть - to sell, get rid of
сбыт - sales, distribution
сверхпоста́вка - excess delivery
сверхпри́быль - extra profit
сверхуро́чные - overtime
свиде́тельствовать/засвиде́тельствовать - to testify, certify
свинг - swing
свобо́дно на бо́рту - free on board (FOB)
свобо́дно-конверти́руемый - freely convertible
свя́зка - bundle
связь - communication; ties; contacts
сда́ча - delivery; change; leasing; depositing
сдвиг - shift ; improvement
сде́лка - transaction

себестоимость - cost
сельскохозяйственный - agricultural
семинар - seminar
сепарация - separation
серийный - serial
сертификат - certificate
сетка - tariff scale
сеть - network
символ - symbol
симпозиум - certificate
синдикат - syndicate
систематический - systematic
скидка - discount
скорый - fast
скоропортящийся - perishable
скупать/скупить - to buy up
слияние - merger
служба - service
смета - estimate
смешанный - mixed
снашиваться/сноситься - to wear out
снижать/снизить - to reduce, decrease
советник - adviser
совместный - joint
содействие - assistance, cooperation
сокредитор - joint creditor
соло-вексель - one-name promissory note
сообщество - community
соответственно - accordingly
сорт - kind; type, grade
сортимент - assortment
сортировать/рассортировать - to sort, classify
составлять/составить - to add up to; make up
социально-экономический - socio-economic
спад - fall, decline
специализированный - specialized
специализироваться - specialize
специалист - specialist
спецсвязь - special means of communications
спесификация - specification
списывать/списать - to write off
спорный - disputable
спот - spot
справочник - reference book, directory
спрос - demand
среднесрочный - medium-term
средство - means
срок - term, time-limit
срочно - urgently
ссуда - loan
ссужать/ссудить - to lend, loan
ссылаться/сослаться (на) - to refer to
ссылка - reference
стабилизация - stabilization
ставка - rate
стагнация - stagnation
стадия - stage
стажировка - training
стандарт - standards
станция - station
статистика - statistics
статус - status
стенд - booth
стимул - incentive
стоимость - value, cost; price
стойка - booth; desk
сторона - party, side
стоянка - parking (area)
страна-импортёр - importer country
страна-кредитор - creditor country
страна-поставщик - supplying country
страна-производитель - producer country
страна-устроитель - host country
страна-участник - participating country
страна-эспортёр - exporting country
стратегия - strategy
страхование - insurance
страховать/застраховать - to insure
страховка - insurance coverage
стройтельство - construction
структура - structure
субподряд - subcontract
субподрядчик - subcontractor
субсидировать - to subsidize
суд - court; trial
судебный - judicial, legal
судно - vessel, ship
сумма - amount, proceeds
суррогат - substitute
суточные - daily allowance
сфера - sphere; field
счетовод - accountant
счетоводство - bookkeeping
счёт - account; bill; invoice
счёт-фактура - invoice (commercial)
сырьё - raw materials

Т

таблица - table, schedule
тайм-чартер - time-charter
такса - rate
талон - coupon
таможня - customs

та́ра - packing
тари́фф - tariff
теку́щий - current; present
телегра́мма - telegram, wire, cable
те́лекс - telex
телета́йп - teletype
телефа́кс - fax
телохрани́тель - bodyguard
те́рция - third bill of exchange
тест - test
те́хник - technician
техобслу́живание - tecnical service
тира́ж - circulation, print run
ти́тул - title
това́р - goods, commodity
това́рно-де́нежный - commodity-financial
това́рный - commodity
товарообме́н - commodity exchange
товарооборо́т - trade turnover
то́нер - toner
то́пливо - fuel
то́рги - bid, auction
торгова́ть - to trade, deal
торго́вля - trade
транзи́тный - transit
транса́кция - transaction
трансфе́рт - transfer
тра́тить/потра́тить (истра́тить) - to spend; waste
тре́йдер - trader
тре́йлер - trailer
тре́йлерный - trailer (adj.)
тренд - trend
труднореализу́емый - difficult-to-sell
трудоёмкий - labor-intensive
тюк - bale
тяжелове́с - heavy cargo

У

убы́ток - loss, damage
уведомле́ние - notification; advise
удешевля́ть/удешеви́ть - to discount, make less expensive
удлиня́ть - to prolong; extend
уголо́вное - criminal
указа́ние - indication
указа́тель - index; sign
уменьша́ть/уменьши́ть - to decrease
универса́льный - universal
унифика́ция - unification
упако́вка - packaging
упако́вывать/упакова́ть - to pack
упла́та - payment
ура́внивать - to equalize
урегули́рование - settling, regulation
уполномо́ченный - authorized
управле́ние - administration, management
у́ровень - level
услу́га - service
усло́вный - conditional
уста́в - charter, statute
устано́вка - installation; guidelines
усто́йчивость - stability
устра́ивать/устро́ить - to organize; be satisfied with something; to arrange (as in a job)
устро́йство - device
устрои́тель - organizer
усту́пка - concession
ухудше́ние - deterioration
уце́нка - discount
уча́стие - participation
уча́стник - participant
учёт - registration; accounting
учётный - registration
учреди́тель - founder
уще́рб - damage, harm

фа́брика - factory
факс - fax
факсими́ле - facsimile
фасо́вка - packing
федера́льный - federal
фикси́рованный - fixed
филиа́л - affiliate
фальши́вый - false
финанси́рование - financing
фи́рма - firm, company
фонд - fund; reserve; stock
фо́рма - form, shape, method
форма́льность - formality
форми́ровать - to form
формулирова́ть - to phrase, formulate
форс-мажо́р - force majeure
форфе́йтинг - forfaiting
фотоко́пия - photocopy
фра́нко - free
фрахт - freight
фри-а́ут - free discharge
фри-и́н - free in
фьючерный - future

ха́йринг - hiring

характери́стика - characteristics
хода́тайство - petition
хозрасчёт - self-sufficiency, self-financing
хозя́йство - economy; farm
хране́ние - storage
хронологи́чески - chronologically

Ц

целево́й - oriented
цена́ - price
це́нный - valuable
ценообразова́ние - price-setting
центр - center
це́ссия - session
циркуля́р - instructions
циркуля́ция - circulation
цисте́рна - tank (railcar, truck)
ци́фра - number
цифрово́й - digital

Ч

ча́ртер - charter
части́чно - partially
части́чный - partial
частновладе́льческий - privately owned
ча́стный - private
ча́сть - part; portion; share
чек - cheque
че́ковый - checking
член - member
чле́нство - membership

Ш

шефмонта́ж - supervised installation
шифр - cipher
шкала́ - scale
шо́у - show
шрифт - font
шта́бель - pile
штампова́ть - to stamp
штат - personnel, staff
ште́мпель - stamp
штраф - fine, penalty
штрафова́ть/оштрафова́ть - to fine, penalize
шту́ка - piece
шту́чный - by piece

Щ

щит - board (billboard)

Э

экземпля́р - copy
экологи́ческий - ecological
экономи́ст - economist
эконо́мить - save
экономи́ческий - economic
экономи́чный - efficient
экспа́нсия - expansion
экспе́рт - expert
эксперти́за - expertise
эксплуата́ция - operation, running
эксплуати́ровать - to operate, use
экспози́ция - exposition
экспона́т - display
экспоне́нт - exhibitor
э́кспорт - export
экспортёр - exporter
экспре́сс-слу́жба - express-service
экспроприа́ция - expropriation
эмба́рго - embargo
эмиссио́нный - issuing
энергоёмкость - power consumption
эскала́ция - escalation
эсэнгэ́шный - of the CIS, made in the CIS
этике́тка - label
эффе́кт - effect, result
эффекти́вность - effectiveness

Ю

юриди́ческий - legal, juridical
юрисди́кция - jurisdiction
юрисконсульта́нт - legal consultant
юри́ст - lawyer

Я

янта́рь - amber
ярлы́к - tag, ticket, label
я́рмарка - fair
я́щик - box

Other useful resources available through Russian Information Services' Access Russia catalogue

Oxford Russian Dictionary

Brand-new this year, this new single-volume hardcover Oxford dictionary quite simply has no equal. It contains over 180,000 words and phrases and 290,000 translations in over 1300 crisply typeset pages (surely the most comprehensive and authoritative English-Russian/Russian-English dictionary anywhere available!). **[L511** • 1993 • 1300 pp. • **$45]**

Pocket Oxford Dictionary

There is no better pocket dictionary of Russian. Called 'the most complete and succinct pocket Russian-English and English-Russian dictionary in existence,' the Pocket Oxford contains over 60,000 terms. The compact volume also comes in a permanent vinyl cover to withstand years of use. Why settle for anything less. **[L504** • 420 pp. • 1981 • **$12.95]**

How to Pronounce Russian Correctly, by Tania Bobrinskoy & Irina Gsovskaya

You've studied and you've practiced. Now you have to hit the streets and be understood. Never fear; this specialized self-study cassette program begins with familiar sounds spoken in Russian and progresses to sounds with no English equivalent. A wealth of examples provide practice in all the sounds of Russian and how they interrelate in words, phrases and sentences. Includes one 60-minute cassette and accompanying text. **[L541** • 1992 • **$19.95]**

Business Dictionary for Russian

A new English-Russian, Russian-English dictionary of terms, abbreviations, and phrases used in international trade. 3,600 entries provide over 18,000 terms and phrases for business people, exporters, importers, transport professionals, lawyers, and translators. **[L537** • 1993 • 615 pp. • **$28.50]**

New English-Russian Dictionary of Legal Terms

Teach yourself and your Russian colleagues the language of law. This unique English to Russian dictionary contains over 35,000 terms, expressions, and abbreviations from all areas of the law (civil, criminal, international) as well as finance and banking, insurance, international trade and customs, and stock exchange and securities terms. Especially useful for international contracts specialists, lawyers, translaters, traders, and bankers. **[L542** • 1993 • 400 pp. • **$25]**

Russia Survival Guide: Business & Travel, *by Paul E. Richardson*

The definitive guide to doing business and traveling in the new Russia! Every page of this resource is packed with information that would take months and thousands of dollars to find on your own. This is the only guide to include detailed contact information for over 75 of Russia's largest cities. Included in this edition are new and completely updated sections on visas, sources for travel and business information, answers to your currency questions, health and crime issues, traveling in-country, communicating by fax, phone and e-mail, doing business with Russians, and the most comprehensive and lucid summary of Russian business legislation anywhere available. This is the best investment you can make in your trip to or business in Russia. **[B102** • 1994 • 214 pp. • **$18.50]**

Where in Moscow, *Paul E. Richardson, ed.*

Where can the Westerner in Moscow take their dry cleaning, find accounting and legal advice, rent a car, or buy a tennis racket? All at an acceptable level of quality and service? Turn to the all-new 4th edition of this pathbreaking guide to find out. Includes concise and invaluable yellow and white pages directory information to the essential goods and services that business people, students and independent travelers need. Address, phone and fax numbers are listed for each entry, and a newly-updated 30-page indexed city street map helps you find what you need. No other resource is as current, comprehensive or easy to use. **[B105** • 1994 • 248 pp. • **$13.50**

Where in St. Petersburg, *Paul E. Richardson, ed.*

Featured in *Travel & Leisure* Magazine for being the first-ever yellow pages for St. Petersburg, the new second edition of this pathbreaking guide contains 25% more information and is designed to give you a handle on Russia's fast-changing second city. Includes yellow and white page directories, a bilingual metro map, and a colorful city street map - with all three elements cross-referenced, putting all the essential information in one handsome, easy-to-access package. A must for independent travelers. **[B106** • 1994 • 172 pp. • **$13.50]**

Russian Travel Monthly

Straight from the source, unflinching coverage of the latest developments in Russia as they relate to independent and business travel. Each 8 page issue covers political and commercial events affecting travelers, current news stories, reviews of new restaurants and service providers, the freshest directory information, exchange rates, and real-life travel essays - always with a wry and easy-going style. ***RTM*** is your monthly insider briefing on the rapidly-evolving Russian milieu. **[B109** • Monthly • **$36]**

The New Moscow City Map and Guide – 2nd Edition

The first edition met with rave reviews ('meticulously accurate...user friendly *TIME* Magazine) and was used by senators, diplomats, tourists, businesspeople and even President Clinton and Vice President Gore on trips to Russia's capital. The US Department of State orders it in hundred-lots. This revised and updated second edition includes over 500 significant street and feature revisions to account for recent changes. Features include an expanded city center map, a regional map and a bilingual metro map. Restaurants, hotels, business centers, currency stores, and other important locations are all featured and meticulously indexed. This is, quite simply, the most up-to-date, accurate, and user-friendly map of Moscow available! Decorate your home or office with the laminated wall map version! **[M600 •** 1994 **• $6.95]**

Laminated Moscow City Map **[M601 • $25]**

The New St. Petersburg City Map and Guide

The natural encore to our widely-acclaimed Moscow city map was to produce a map of Russia's imperial capital. This is the first-ever (we checked) map of St. Petersburg by a US company. As vivid and colorful as our Moscow map, it is the most current and useful map of the 'Venice of the North' anywhere available. One side features a full city map, the other side includes an expanded city center map, a walking map of Nevskiy prospekt, a metro and regional map. All this plus a feature and city street index! For hanging at home or the office, be sure to order the laminated version. **[M602 •** 1993 **• $6.95]**

Laminated St. Petersburg City Map **[M603 • $25]**